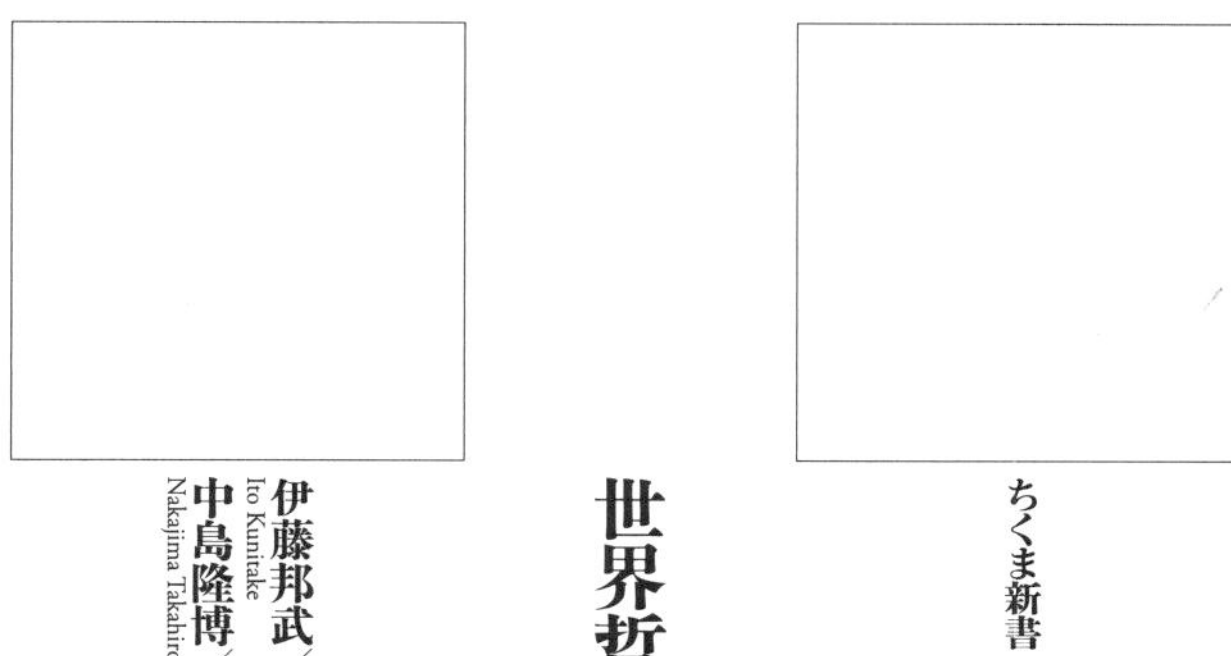

ちくま新書

世界哲学史7

——近代Ⅱ 自由と歴史的発

伊藤邦武／山内志朗
Ito Kunitake　Yamauchi Shiro
中島隆博／納富信留 責任編集
Nakajima Takahiro　Notomi Noburu

1466

世界哲学史7——近代II 自由と歴史的発展【目次】

第3章　西洋批判の哲学　竹内綱史

第6章　数学と論理学の革命　原田雅樹　147

はじめに

伊藤邦武

本巻は前の第6巻に続く近代の第二巻目である。第6巻は主として一八世紀を扱った。本巻が扱うのは主に一九世紀である。

哲学史という視点を離れて、世界史という一般的な視点から見た場合、一九世紀とはどのような時代であったのか。一九世紀は、旧世界であるヨーロッパでは、前世紀の大革命の余燼（よじん）のような混乱が、さまざまな形をとって、次々と生じている時代である。ナポレオン戦争とその後のヨーロッパの再編成、ドイツやフランスでの社会主義運動や反動的王政復古、そして産業革命と資本主義経済の発達――。

一方、前世紀に旧世界から独立したアメリカでは、この世紀に南北戦争という大規模な内戦を経験したのちに、はじめて合衆国としての統一のある時代を迎えた。そして、この世紀の後半になると、旧世界であるヨーロッパは、帝国主義的拡張と植民地支配の時代へと突入する。これにたいしてアメリカは基本的に孤立を選ぶが、ヨーロッパでもなくアメリカでもない非西洋世界は、この世界史的変動のなかで、インドも、中国も、あるいは南米もアフリカも、否応なく西洋による世界支配の構図に巻き込まれていったのである。

それでは、このような混乱と支配の時代において、「世界哲学」という名前の精神的活動が何らかの形で働いていたのだとしたら、それはどのような運動であったのだろうか。よく知られているように、ナポレオンによるヨーロッパ制圧を経験したドイツの哲学者ヘーゲルは、「理性」という名前の「絶対精神」が、かつて古代ギリシアにおいて見られたような、「自由」の部分的実現の段階を超えて、キリスト教的ヨーロッパにおいて十全な自己実現の段階を迎えたと考えた。しかし、ヘーゲルのこの理解は、彼の死後あまり時を経ずして、粉々に砕け散ったといってもよいであろう。

一九世紀はその前の世紀とは別の意味で、世界の多くの場所で、大規模な変革へ向けた力が発揮された時代である。哲学はそうしたエネルギーを吸収しつつ、それまでの思想的な旧制度（アンシャン・レジーム）の桎梏から、自らを解放しようともがいていた。それはこの時代の西洋においても東洋においても、ひとしく見られた大きな傾向であり、哲学を近代的段階から現代的段階へと引き上げ、移行させようとしていた、思想上のうねりともいうべきものであった。

本巻の各章は、ドイツとフランス、イギリスとアメリカ、インドと日本など、多くの地域に目を配りながら、そのうねりを作り出したさまざまな要素について、改めて光を当ててみようとするものである。そうした要素を見比べてみると、これらの地域の間には、たとえ実際には日の目を見なかったとしても、思想的な交流や重なり合いが、少なくとも可能性としては十分にありえたことがうかがわれる。本巻の各章には、現代哲学に向かって流れるべき、いくつもの見えない哲学史的水脈を探り出すためのヒントが、随所に含まれているはずである。

第1章 理性と自由

伊藤邦武

1 はじめに

†自由の二つの意味

自由であることは不自由であることの反対である。不自由は誰にとってもよくないことであるから、自由はそれ自体としてよい事柄である。とはいえ、その歓迎すべき事柄である自由が、本当は何を意味するのかということは、それほど自明ではない。自由といってもさまざまな文脈で、さまざまな意味が考えられるし、その価値も単純に説明できるものではない。

哲学という学問にとっては、自由とは何かという問いは根本問題の一つである。その理由は、自由であるということが基本的に人間という存在者にだけ属していて、他のすべての存在者にはない独特の性質であるからである。そのために、哲学が人間存在の本質を理解しようとするならば、当然のことながら、人間という存在者に特有の性質である自由とは何か、ということを問題にせざるをえない。

さらに、哲学では自由をふつうの日常語のように、単なる不自由と対立させるだけでなく、それが何らかの必然性と反対の概念だと考える。そして、哲学では自然のなかにある必然性や、人間を超える神の働きや、場合によっては数学的真理の必然性など、いろいろな種類の必然性について考えるために、自由の問題はおのずから人間対自然や、人間対神の問題、あるいは人間と永遠の真理との関係の問題と結びつくことになる。人間は世界の創造者たる神の定めの前で、どの程度の自由をもった存在なのか。あるいは、人間の行為において認められる自由という特性は、自然現象に見られる法則的必然性や、数学的真理の永遠性と、どのような関係に立つと考えればよいのか——。

西洋近代哲学の基礎を打ち立てた一七世紀のデカルトは、人間精神のもつ自由に二種類があると考えた。一つは自分の求める目標を実現するために、自分から積極的・自発的に意志を発揮することである。もう一つは、さまざまな目標がありうるときに、それらの性質や特徴にとらわれることなく、無差別な形でどれかを任意に選びだす自由である。前者は「自発性の自由」と呼ばれ、後者は「無差別な選択の自由」と呼ばれる。二つの自由はまったく背反するものではないが、両立は必ずしも容易ではない。哲学者たちが提唱した伝統的な意味での自由論は、これらのどちらに自由の核心的意味を認めるか、という視点から分類することができる。デカルト自身は基本的に前者の、意志の自発的発動ということを強調したが、時々は後者のほうに傾いた議論をしているところもある。

†一九世紀の自由論

本巻で扱われる一九世紀の哲学が、自由の問題を扱うさいに示す特徴の第一は、この時代の哲学が自由のこうした二つの意味を、伝統的な哲学に見られる個々の人間精神の働きに即して考えるのではなく、時間の流れに沿って生じる、出来事どうしの発展や変化という、外的事象にかんして考えようとしているところにある。さまざまな歴史的発展や、生物的進化、社会的変動にかんして、どのような形で自由という要素が発揮されているのか。一九世紀の思想家が問題にするのは、歴史や進化という時間的な変化や発展において、自由は見出されるのか否か、という問題である。

この問いにたいする一つの答えとして、歴史には「理性」という個人を超えた精神の働きがもっている、自発的で積極的な関与が認められる、と答える立場がある。この立場は歴史にかんするロマン主義的理解であって、ヘーゲルの哲学がその典型例である。これは第一の意味での自由を、歴史のなかに探ろうとする発想である。歴史を動かしているのは、個々の人間の意志ではなく、人間理性という大きな精神的力の積極的な働きだというのである。

歴史のなかに理性の自由な働きを見ようというこのような発想は、自然を支配する物理的必然性とは別の次元に、実践理性という叡知的なものの働きを認めようとした、カントの哲学に源をもっている。しかし、カントの後に登場したドイツ観念論の思想家たちは、その働きを叡知界のような現実の彼方の世界ではなく、むしろ人間社会の現実そのもののなかに見つけようと考えた。こうした発想は、以下の各章で見るように、ドイツという特殊な国民国家の国家意識と密接に結びついている。

といっても、理性の働きの核心に自由を認めようとするドイツ哲学のこうした傾向は、単に歴史や社会という次元だけにとどまらない、もっと深い思想的ポテンシャルももっている。このことはふつうの哲学史ではあまり注目されることがないが、われわれはドイツ観念論のもつ思想的意義について、本巻の後半で扱われる、数学理論の歴史的深化という特異な主題のなかでも確認するであろう。

他方、歴史的変化や発展には、自発的、積極的な意志の働きのようなものはまったくなく、すべては偶然の堆積において、さまざまな無差別の選択が行われる結果成立する、という見方もありうる。これは、デカルトのいう第二の意味での自由に重きをおく見方であって、それを現象の時間的な推移と重ね合わせて考えたのが、自然選択と最適者生存という原理によって生物種の変化や多様化を理解しようとした、ダーウィンのような見方である。この見方によれば、歴史の進行のなかに理性的なものは何もなく、無数の無差別な偶然の積み重ねがあるだけである。

自由は、歴史的変化と発展という次元で、どのように理解されるべきなのか――。一九世紀の哲学史はこの問いを一つの軸にして整理することが可能であり、その答えとして以上のような二つの大きな傾向を認めることができる。しかし、実際には答えはこれだけでは終わらない。この時代はある意味では、伝統的な意志の自由と選択の自由の他に、第三の答えを用意しようとするのである。

†第三の自由論

それは、自発性の自由と任意性の自由の他に、自己コントロールを通じた自己形成という別の種類の自由を考えてみようとする方向である。この場合の自己コントロールとは、欲望の制限とか、情念の規制という否定的で抑圧的な働きのことではなく、自分自身の習慣を形成することで、新たな自分へと変貌するような、積極的な自由を考えるということである。多数の行為はそれぞれとして見ると無差別の自由の下で遂行されているとしても、その遂行の積み重ねは、習慣という、意志とも選択とも異なる第三の精神的傾向を生み出していくのではないのか。

統計的なランダムな事象の積み重ねは、それ自体を個々に見ると任意で、無差別な作用のように見えるが、人間精神にはその積み重ねを利用して、習慣という不定形だが実在的な働きを形成しようとする傾向がある。この傾向のなかに、習慣形成というこれまであまり注目されてこなかった、自由の新しい意味が認められるのではないか。

一九世紀の哲学は、このような形で自由の意味にかんする伝統的な二つの意味のほかに、新たに第三の意味を見出した。そしてこの見方が、西洋の旧来の思想世界とは独立の姿勢を追求しようとしていた新世界や、新たに近代へと目覚めた東洋など、非西洋世界の共鳴を呼んだと考えることができる。イギリスからの独立後に、その文化的アイデンティティの構築を模索せざるをえなかった、アメリカという新世界や、外圧による開国を余儀なくされた日本などにおいては、伝統的な西洋思想が内包する二元論的対立を超えて、別種の可能性を追求することを一つの目標とした。一九世紀の哲学が用意した自由についての第三の見方は、この可能性の追求にこたえる力をもっていた。

たとえば、新生アメリカの文化的アイデンティティの表明という性質をもつ、プラグマティズムという哲学の潮流においては、旧来の伝統思想に見られる自由のイメージを超えた、この第三の自由概念の掘り下げが、大きな課題として意識されるようになった。さらに、アメリカのこの思想の基本的発想にたいして、さまざまな点で共鳴する日本の哲学思想においても、人間の自由を習慣形成という次元で探ろうとするこの思想は、とりわけ共感をもって受け入れられたと考えられる。

それゆえ、世界哲学史の展望という課題に沿った形で、一九世紀の哲学の流れを見ようとするとき、アメリカや東洋の近代思想に見られる心の哲学を、自由にかんする一九世紀西洋の第三の立場と重ね合わせてみることが、その展望のための一つのヒントを与えてくれるように思われるのである。以下ではだいたいこのような見通しに立って、一九世紀の世界における新しい自由論の見取り図を考えてみることにしよう。

2 理性のロマン主義

†ロマン主義とは何か

このシリーズの前の巻で解明されているように、啓蒙とは知識や科学に依拠することによってこれまでの因習から逃れ、偏見を捨て、蒙昧な状態から脱することである。アメリカ独立戦争やフランス革命という一八世紀の西洋世界の大変革は、この思想的態度を社会全体の改造へと拡大し、政治思想としてのエネルギーを最大限に発揮しようとした運動であった。

この思想の大きなうねりは、結果としてナポレオン戦争のような激甚な混乱を生み出しつつ、当時のヨーロッパ文化の中では後進的な位置に甘んじていたドイツにも波及したが、そこでドイツに特有の独特な啓蒙主義思想を生み出していった。ナポレオン戦争の下で発達したドイツの啓蒙主義は、人間の理性や自然の感情を強調したフランスやイギリスにはない、ロマン主義という新たな傾向を孕んでいた。そしてロマン主義はドイツにとどまらず、一九世紀西洋の文芸や芸術において、広い範囲で大きな力を発揮することになった。

ロマン主義という言葉は、文芸や思想を特徴づける用語としては、古代ローマ時代の風習や制度、文化を尊重するというのが本来の意味であるから、ロマン主義とはある種の懐古的な性質をもった文芸運動であり、保守的で反現代主義的な思想傾向だと考えることもできる。とはいえ、ロマン主義は単にローマの時代への回帰というだけではなく、古代ローマの言語がその古典的なスタイルの完成の後に、より卑俗で通俗的なスタイルをとるようになったときに、後者の民衆的な言語の用法に従うという、さらに限定された意味をもっている。ロマン主義の文学とは、たとえばスコットランドやアイルランドの古代の英雄を謳う伝説の詩人オシアンの作品や、一一世紀以降フランスで広まった騎士道的愛の理念を「ミンネ」という歌で表現する、吟遊詩人たちの物語のように、通俗的な言葉で語られた英雄的冒険や宮廷的恋愛をめぐる波乱万丈の物語のスタイルを踏襲する、という意味をもっている。

それゆえ、いわゆる小説とか物語ということをロマンと呼ぶときのロマンとは、まさに恋と冒険の波乱万丈の物語展開のことを意味しており、思想や文芸におけるロマン主義とは本来、現在の現実とは異なった架空の古代世界への憧憬や逃避というよりも、むしろ、目の前の現実からはとても想像できないような、冒険と興奮の世界へと没入することを目指すことになる。ロマン主義は何よりも、古典主義に対立して均衡と調和への志向を拒否し、混乱と危険にみちた感情的興奮へと向かおうとするのである。

ところで、文化的に後進的な位置を占めたドイツに端を発する一九世紀のロマン主義の運動は、文芸や絵画の世界では、ドイツに限定されない西洋世界全体へと大きな影響を及ぼすことになった。たとえばイギリスでのワーズワースやコールリッジの思想を経由して、遠くアメリカの詩人たちの精神を鼓舞することにもなった。しかし、哲学にかんしては、必ずしもそうした強力な影響を及ぼすことにはならず、むしろ先行するイギリスやフランスの思想とぶつかりあうような様相を示す面もあった。ここでいう哲学におけるロマン主義の傾向は、典型的には、ヘーゲルの歴史哲学に見られるような、精神のダイナミックな運動としての世界史の展開という発想に現れている。

†ロマン主義と自然主義

ヘーゲルの考える人類の歴史は、理性という精神的な生命力が、さまざまな困難との出会いのなかで、多様な形態を採用することを余儀なくされながらも、最終的にはその本来のあり方の実現という目標を完遂し、自己充足を成し遂げる物語である。そこでは理性は混乱と破壊を繰り返しつつ、まさにそれらの否定的継起を糧にすることで、かえって自己本来の姿を十全な形で確認するという、否定を媒介にした目的論的性質を発揮する。

ところが、こうしたロマン主義的歴史観は、すでに啓蒙思想の興隆を経験し、その延長線上でコントの社会学やベンサムの功利主義などの経験主義ないし自然主義的傾向の思想を生み出したフランスやイギリスでは、大きな力を発揮することができなかった。反対に、一九世紀のイギリスで登場したマルサスの人口論やダーウィンの進化論では、歴史的発展と推移の過程はこの種の目的論的特徴をすべて奪われて、一切が冷厳な自然選択と最適者生存の原理に従っているとされることになる。ヘーゲルの歴史がダイナミックな理性の運動に着目していたとすれば、ダーウィンの進化論は自然環境と生物種との相互関係のもとで、統計学的観点から見てどのような種の変化が生じうるのかを、冷静に分析しようとするのである。

それゆえ、一九世紀の思想世界は、ロマン主義的傾向と自然主義的傾向とのせめぎあいの世界として理解することができるのであるが、話はこれだけでは終わらない。先にも書いたように、一九世紀の思想の展開はやがて、これら二つの対立の隘路をぬけるような、別の思想へと変貌するのである。

そのことを確認するまえに、話の順序としてまず、ロマン主義的な歴史の思想としてのヘーゲルの議論をもう少し詳しく見てみることにしよう。

†ヘーゲルの歴史観

ヘーゲルの哲学体系では理性は「絶対精神」とも呼ばれるが、それは基本的に自分自身を知る精神のことであり、他者との区別を理解する過程を経たうえで、自分の使命の認識へと戻ってくるような精神である。これが絶対精神と呼ばれるのは、この自己知の運動が、絶対者たる神自身の自己知の働きとも通底しているからである。われわれが高度な理念を用いて行う精神活動には、常にこのような精神の働きが関与しているが、特に歴史の歩みは、この絶対精神が「時間において顕現する」ことであり、自分自身を知るというその本性がもっとも目に見える形で発揮されるよう現象である。たとえば、歴史のなかではナポレオンによるヨーロッパの解体と解放のような、それまでの社会の時間的推移と大きな断絶を示す画期的な出来事が生じるが、こうした歴史的事件の発生そのものは、ナポレオンという個人の次元を超えて、絶対精神における自己認識のあり方を表現しているのである。

精神というものを自然と比較してみると、自然世界は無数の法則に支配された必然性の世界であるのにたいして、精神の世界は自由という本質をもつことが特徴である。それゆえ、およそ精神一般の本質は自由にあるということになるので、歴史の歩みとは「自由」という理念がさまざまな障害や対立と戦いながら、その完全な自己実現を目指していく一つの力強い運動過程のことになる。そして、この自由の実現の度合いという角度から見ると、世界の歴史はまさに、もっとも貧困な時代から、多少とも萌芽的な状態、さらに部分的な実現、そして十全なる開花という四つのステップを踏んできたことが分かる。

第一の段階は自由という理念がまったく出現しておらず、歴史以前といってもよい時代であり、中国とインドの歴史がこれに相当する。東洋のこれらの国々では、皇帝などただ一人の自由な主体があるだけで、単なる王朝の交代の連続が続き、空や無などの否定的な思想だけが形成された。

第二段階はエジプトなどの中近東世界の歴史であり、人間と獣との中間に位置するスフィンクスが活躍する。そのスフィンクスの呪いを破って、人間の独立を宣言したのが第三段階のギリシア文明であり、ここに至って人間精神ははじめて部分的にせよ自由を享受することの重要性を認識した。

そして、最後に、西洋の近代人が登場し、自由という理念のもとで共同体を構築することこそ人類の歴史の使命であると理解した。この使命の完全な実現を目のあたりにすることができたのが、第四段階の完成としてのキリスト教的ゲルマン人の国家の建設である。

ヘーゲルはこのように、世界の政治と思想の歴史を自由という理念そのものの自己実現の運動として捉えたが、この運動の図式は基本的には目的論的原理に支配されたものである。というのも、歴史の進行を促し牽引するものは、歴史の起源にある何らかの始動因ではなく、将来の完成時に実現するであろう、目標、目的としての「終局（テロス）」であるからである。歴史をその始まりではなく終局から理解しようとするこの歴史像は、明らかにまた、歴史の終末すなわちその完成という、キリスト教的な終末思想とも重なっている。

†そのロマン主義的性格

しかし、ヘーゲルの歴史論のきわだった特徴は、こうした目的論的性格や終末論的構造以上に、そのロマン主義的傾向に現れている。ここでいうロマン主義とは、歴史における英雄たちの華々しい冒険と滅亡という、ロマン主義文学に特有のモチーフである。世界の歴史は、自由という理性に内在する理念が、それ自身の実現を成し遂げるために、その手段として人間個人や民族を手段として利用し、それらを犠牲にする歴史でもある。アレクサンドロス大王もカエサルもナポレオンも、個人としては最大の情熱を傾け、新しい都市や帝国の建設にむけて闘争や破壊を行った。しかし彼らはいずれもそれぞれの戦いの末に没落し、運命に見放され、非業の死を遂げることになる。彼らは偉大な業績を後世に遺し、世界史的な使命を果たしつつも、結果として世界理性の自己実現という目的に奉仕したうえで、没落するという悲劇的な終わりを迎える。

歴史において主人公を演じるのは理性であり、そこに登場する人物たちは理性の目的実現に奉仕する手段にすぎない。人間は理性自身の働きにそれと自覚することなく利用される繰り人形である。ヘーゲルは世界の歴史の進展における、こうした理性の巧妙な仕掛けを「理性の巧緻」と呼んだ。英雄たちがそれぞれいかに賢明で優れた資質を身につけていたとしても、真に知恵に富み、すべての出来事の進行の原理を見通しているのは理性そのものである。歴史にたいするこのような理解は、絶対精神の自己実現という側面から見ると、世俗化された神の国の到来の物語としても読めるが、むしろ人間の超人的な努力が最終的に報われず、運命の歯車のなかに必然的に飲み込まれるという面からして、英雄や騎士たちの悲劇的運命を謳ったロマン主義思想の結晶と見ることもできるだろう。

3　進化と淘汰

†ダーウィンの進化論

ヘーゲルの歴史観はいかに悲劇的な様相をもっていたとしても、その裏面には神の国の実現という楽観的な終末論を伴っていた。他方、この目的論的構造を全面的に否定して、歴史的進展の無目的性、偶然性、非決定性を強調する思想の代表が、一九世紀中頃にイギリスで最大の関心を呼ぶことになった、ダーウィンの進化論である。

ダーウィンはその主著『種の起源』を一八五九年に発表したが、改めて確認するまでもなく、彼が構想する生物進化の図式は、自然環境の変化に応じて、環境と生物種の間に適応と淘汰の関係が成立し、そこで働く「最適者生存の原理」の結果として、もっとも多くの子孫を残す形質を備えた種が繁栄するという進化の論理である。ここでは、生物種の多様化を促すものは、生物の側に内在する何らかの特性や生命力の問題ではなく、環境に応じてそれぞれの種で異なる適応の度合いという、相対的な性質である。さらに、この適応の度合いは、単純な数量化によって表現できるものではなく、あくまでもランダムに分布する生物のさまざまな特性にかんして、環境の変化との間に、その種の子孫の増大や減少の傾向とどのような統計的相関があるかという、非決定論的、偶然的な事象として理解されているのである。

ダーウィンの進化論はこのように、歴史的変化の目的論的解釈を徹底的に拒否すると同時に、決定論的な自然観をも否定するものであったが、このような特徴は、彼自身が自覚的に表明しているところであり、ダーウィンは自分の自然観が、ニュートン以来のイギリス伝統の自然神学的発想を廃棄することに力を貸すであろうことを、よく理解していた。彼は生物の進化が下等なものから高等なものへと向かう、「存在の連鎖」という形而上学的図式を下敷きにしたものではないことを強調しており、さらには、人間という生物種の特権性を否定することで、キリスト教的な神による世界創造の物語にも冷水を浴びせる思想であることを、明確に意図していた。

しかしながら、彼の適応と淘汰の図式には、単なる神学的自然観との関係のみならず、人間社会のレベルでの経済的な発展のモデルとも深く結びついている面があった。彼はこの点もまたよく理解していたが、それについてはあまりはっきりと表に出すことはなかった。というのも、彼の時代の経済的な発展のモデルとは、資本主義にかんするリカードやマルサスの理論のことであり、これらの理論家の唱える「政治経済学（ポリティカル・エコノミー）」の図式は、人々の心にすでに、経済学が「陰鬱な科学」であるというイメージを植えつけていたからである。

†経済学の思想

イギリスにおける経済学思想は、いうまでもなくアダム・スミスの『国富論』によって決定的な歩みをたどることになった。スミスの理論は、分業という新しい富の生産法が発展することによって、「私益」と「公益」とが調和し、自由経済論を推進するならば、全体として矛盾することなく発展していく、という楽観的な図式であった。この楽観的な経済発展の理解をもっとも象徴的に表しているのが、彼のいう「見えざる手」という比喩である。経済活動に従事する人々はそれぞれ、自分の欲望と創意にしたがって、自由に利己的な目標を追求しても問題がない。人々がレッセ・フェールという自由放任の原則で活動しても、社会全体はあたかも「見えざる手」に従うように、より豊かな全体へと進化し続けることができる。

社会の富の増大を「見えざる手」という予定調和的な働きに譬えるスミスの理論は、その手の持ち主として、いかにも恵み深いキリスト教の神を思い起こさせるが、スミス自身が本当に念頭に置いていたものがキリスト教的な神概念であったかどうかは、判然としていない。しかし、資本主義経済の勃興期にあったイギリスにおいて、その神学的背景が何であったとしても、この思想が人々の心に経済の明るい未来のイメージを鼓舞することに、大きな力を発揮したことは疑いがないだろう。

一方、スミスの経済モデルは、経済的な富の源泉が人々の労働にあるという労働価値説を部分的に採用していたが、経済的な富の循環のモデルのなかで労働と賃金が果たす役割についての形式的な分析がはっきりしていなかった。この点を明確にして、労働価値説にもとづく経済の循環モデルを数学的にも洗練させたのは、スミスの後で経済学を発展させたリカードである。しかし、リカードの理解では、社会は放っておけば自然に富を蓄積し、より豊かな社会に向かうということは保証できず、むしろ、収穫逓減（しゅうかくていげん）の法則によって定常状態へと落ち着いてしまうことを運命づけられていた。そのために、一国の経済が持続的に発展するためには、外国との貿易の拡大という別の要因を必要とする、というのが彼の主張であった。

リカードはこの経済循環のモデルの柱として、収穫逓減の法則以外にも賃金の生存費説などを利用した。そして、この理論を生み出したのが、友人のマルサスの『人口論』の社会分析である。マルサスの論じるところによれば、人口の増加はそれを維持する物質的増加よりも速度が速い。人間の食物の増加は算術的であるが、人口の増加は幾何級数的である。したがって、人口の増加のペースは、飢餓という形でコントロールを受けることになる。このコントロールの具体的な作用は、市場という舞台で発揮される。労働にはその自然な値段があり、それは労働者の生存を維持させる値段である。しかし、飢餓という限界にもとづくコントロールの働きで、労働者階級は人口を増やすことも減らすこともなく、定常状態を保つのである。

社会の発展はけっして恵み深い神の働きが保証しているような、安心して期待できるものではない――。ダーウィンの進化論は、こうした陰鬱な社会理解を生物界全体の生存と進化へと拡大したものである。この進化論は結果的に、「社会進化論」という形で、社会の内なる冷厳な生き残りの法則を生み出した。実際には、この説の提唱者であるスペンサー自身は、統一性から多様性へと向かう社会の進化の論理を、けっして運命的なものとは考えず、多様性の発達はその先にある統合への重要な契機であるという、むしろヘーゲル主義的な歴史観を唱えたつもりであった。しかしながら、社会的進化論という発想そのものは独り歩きして、一種の運命論へと変化していった。人々は進化論によって科学の新しい勝利を見たのではなく、人間の没落の可能性という陰鬱な未来を垣間見たのである。

4 第三の道

†決定論的自然観の否定

ダーウィンの思想の影響は、しかし、全面的にネガティヴなものばかりともいえなかった。先に触れたように、彼の進化論はアリストテレス以来の目的論的自然観を否定しただけでなく、ガリレイ、ニュートン以来の決定論的自然観をも否定した。生物の生き残りや進化を生み出す世界は、確率論や統計学の支配する世界である。それは物理的な法則が確固たる原理として支配する機械のような自然世界ではなく、無数の変動や変異が織りなす、非決定的で、偶然にまかされた、複雑で流動的な世界である。

自然を偶然の論理によって解釈し、物理現象や生物進化の中に不確定的なもの、非法則的なものを認めようとするこのような見方は、哲学の世界ではたとえばスミスと同時代人のヒュームがすでに、知識論の領域で先鞭をつけており、さらにヒュームのほぼ同時代人として、ベイズなどの思想家が統計的手法にかんする理論を生み出していた。そのために、時代は自然がもつ非決定性、偶然性という特徴への関心を深めていったが、その結果は、進化論のみならず電磁気現象や光学現象にかんする非決定論の発展にも影響をもたらした。ダーウィンを生んだイギリスは、同時にマックスウェルらの統計力学、電磁気学の発展を見ることによって、一九世紀の物理学の進展に大きく貢献したのである。

しかも、進化論や統計力学などの自然科学における非決定性は、それまで哲学において大きな議論の主題となってきた「自由」の問題についても、新しい見方を提供した。カントは自然世界が物理法則という「自然必然性」に支配されているのにたいして、人間の行為が生み出す道徳の世界は、自律的な意志の働きによって統制されている限りで、自由という独立の領域に属すると考えたが、一九世紀の自然科学の進展は、カントのいう自然必然性という発想に、大きく修正を迫る面をもった。しかしそれは他方で、人間精神がもつ自由という性質についても、欲求を制限しつつ道徳原理へと自らを律するという意味での「自律」から、もっと弾力的かつ不確定的な、開かれた自己形成という意味での自由の思想の余地をもたらしたのである。

†自己形成という自由

人間が自分自身の性格を徐々に形成し、固定した属性を克服して、新しい自分を生み出すというこの作用は、具体的には「習慣形成」という形で実現される。古くから、「習慣とは第二の自然である」と言われるように、習慣は後天的に獲得された性質でありながら、本来の資質や性質と同じくらい強固な拘束を及ぼすものとして、実在的な効果を発揮する。したがって、人間は自分の本来の性質ではないにもかかわらず、本来の性質と同じ力をもつ性質を、自らに付与する能力がある。そのような意味で、自己陶冶という努力によって自分から自己の性質を変更し、いわば新しい自己を創造することが、人間自身のもつ自由の第三の意味として、改めて注目されるべきではないのか――。

自由の第三の意味を、自己陶冶を通じた習慣形成による自己創造の可能性に見出そうとするこの運動は、フランスではスピリチュアリスムの伝統を生み出し、アメリカではプラグマティズムの思想家たちを生み出した。

フランスのスピリチュアリスムの祖はメーヌ・ド・ビランであるが、彼は『習慣論』を出版して、百科全書派やイデオロジストの唯物論的傾向と異なる、新たな人間論の可能性を示した。この伝統を継いだラヴェッソンは、同じ表題の『習慣論』によって、自然と精神の関係を、対立するものではなく連続的で統一的なものとして説明するために、両者に共通する習慣性という特性に注目した。この思想はフランス古典時代のモンテーニュやパスカルの習慣論に連なるものであると同時に、彼の後に続くブートルーの『自然法則の偶然性』における非決定論的形而上学など、新しい自然理解を生み出すきっかけとなった。その後に登場した、社会分業を通じた新しい道徳形成の可能性を論じたデュルケームの社会思想も、複数の因果系列の交差の中に運命的出会いの可能性を見出そうとした九鬼周造の偶然の哲学も、このラヴェッソン・ブートルー理論の延長上にある思想である。

また、パース、ジェイムズ、デューイに代表されるアメリカのプラグマティストたちが、その人間自由論の中核においたのも、同じく習慣形成という独特の自己創造の可能性である。パースはラヴェッソンと同様に、自然と精神との存在論上の連続性を強調したが、ジェイムズやデューイは「経験」という言葉の意味を再考することによって、経験がそれ自体として方向性と創造的な力とをもつことを指摘した。ヒュームなどのイギリス経験論では、経験はそれぞれ独立した、個別的で、単発的なものとされたが、ジェイムズらの図式では、経験は時間的に持続し、互いに有機的に連関し、努力と工夫の下で変化し、発展させることのできるものとされたのである。

†この思想の世界的拡がり

ところで、一九世紀後半にこれらの自由論を吸収した当時の東洋世界の思想家にとって、この種の議論がけっして無縁な、理解の困難な発想でなかったことは、容易に想像できるであろう。むしろ、西洋近代の思想をほとんど予備知識なく吸収することを強いられた東洋世界の人々にとっては、それ以前の原子論的な経験概念や瞬発的な意志の理解と結びついた、いわゆる西洋近代型の人間的行為の図式こそが、なじみのない異様な理論として受け取られたはずである。そして、その後に登場した自己陶冶や自己形成の哲学の中に、自分たちの思想伝統とも相互理解が可能となる、対話の糸口を見出したであろうと思われる。

本書では西洋的な近代化の大波に襲われた東洋世界の側の対応として、インドにおける宗教理解の変容と、日本における外なる「文明」との対決と受容という主題を論じている。第9章の「近代インドの普遍思想」は、一八世紀末以来の、インドにおける帝国主義的イギリスとの交流のなかで、「精神性」と「世俗主義」とがワンセットになった、インド流ともいうべき新たなスピリチュアリズムが生まれたことに触れているが、それはアメリカにおけるジェイムズらの主導した宗教理解の革新と、大いに共鳴するものであり、そこには当然のことながら、アメリカ・プラグマティズムにおける自己形成的な人間論の影が色濃くさしている。

また、第10章の「「文明」と近代日本」では、福澤諭吉に代表される明治の思想家たちが目指した、西欧型の文明へと進化するべき人心の指導という主題が取り上げられる。福澤たちにとっては、人心とはいうまでもなくヘーゲル的な客観的精神ではなく、個人主義という軸をもった人間の信念からなる社会的な存在であったであろう。しかし、その個人主義が社会契約説をも構築しうるような、計算的知性をもった、原子論的な人間像にもとづいて構想されていたとは考えられない。むしろ、西洋型へと進化すべく期待された個人の精神的傾向は、彼らにあっては、あくまでも「修身」という形でおのれを律し自己進化すべきものとして、想定されていたはずである。それが夏目漱石など、ケーベル門下の人々の大正「教養派」へと移行することは、きわめて自然なことであった。

いずれにしても、このようにヨーロッパにおけるロマン主義と自然主義の対立のなかから生まれた、一九世紀に特有の、第三の自由論ともいうべき習慣と自己形成とを軸にした人間論は、それを担った人々の思惑を超えて、世界の広い範囲に共鳴を生むことになったが、このことはこの時代の哲学の求めるものを指し示しているとともに、世界哲学というものの可能性の一つを教えてくれる点で、非常に興味深いことである。

異文化への対抗であれ、伝統的な桎梏からの解放であれ、この時代の哲学はすべて、「旧制度」からの解放を求めた。それはいうまでもなく「自由」へ向けた社会的運動であるが、同時に、自由ということの意味についての哲学的探究でもあった。そして、その意味の探究において、哲学はそれまでの理論を超える新たな視点を獲得したのである。

さらに詳しく知るための参考文献

チャールズ・テイラー『ヘーゲルと近代社会』（渡辺義雄訳、岩波書店、二〇〇〇年）……体系的な性格の強いヘーゲルの思想を、包括的に解説しながら、現代の視点から見て有意義な面と不毛な面とに切り分ける。近代社会の特質をとらえたヘーゲルの鋭さが伝わってくる。

ダニエル・C・デネット『ダーウィンの危険な思想——生命の意味と進化』（大崎博訳、青土社、二〇〇〇年）……ダーウィンの革命的思考を進化論の分野に限定せず、自然論として、現代的な視点で大胆に解釈したもの。自然から目的論的側面を排除し、機械的な「アルゴリズムのプロセス」として理解したという。

稲垣良典『習慣の哲学』（創文社、一九八一年）……著者は西洋中世哲学の専門家であるが、トマス・アクィナスの習慣（ハビトゥス）論を梃にして、経験的な認識とア・プリオリな認識の連続性を認める立場がありうることを説く。そして、こうした立場がパースやデューイのプラグマティズムに受け継がれていることを解明する。

トマス・カーライル『衣服哲学』(石田憲次訳、岩波文庫、一九四六年)……産業革命期のイギリスにおいて、自伝的なスタイルで時代精神への批判を展開した本。内村鑑三や新渡戸稲造など、明治期の知識人たちに大きな影響を与えた。奇妙な表題であるが、身体という衣服の内に隠れた、精神の修養の重要性を説いた。

第2章

ドイツの国家意識

中川明才

1　フランス革命とナポレオン

†自由の哲学とドイツ・ロマン主義

一八世紀末のヨーロッパにとって最大の歴史的出来事は、いうまでもなくフランス革命である。そして、一九世紀初頭のヨーロッパにとっての最大の出来事は、ナポレオン・ボナパルト（一七六九〜一八二一）によるフランス帝国の構築とその崩壊である。これらの重大な出来事を目にした隣国ドイツの思想家や文学者たちは、ドイツ特有の思想的反応を形成した。この章ではその反応のいくつかの側面について、概観することにしたい。

「国家、それは私である」と宣言したのは、一七世紀フランスの絶対王権を象徴するルイ一四世であるが、大革命によってその絶対主義的王朝が断絶したとき、哲学的な反省の中心にすえられたのは「自由」という理念である。革命後のヨーロッパの思想は、どの国にあってもこの理念を中心に展開されることになったが、ドイツにおいてそのドイツ的な性格をもっとも強く打ち出したのは、「ドイツ・ロマン主義」の運動であった。

ドイツ・ロマン主義を担ったのは、ノヴァーリス、ティーク、シュレーゲル兄弟らの文学者・思想家であったが、彼らはイギリスやフランスの啓蒙思想家とは異なって、古代ギリシア的な世界への憧憬を未来の文化に投影するという、非常に屈折した歴史意識の下での自由の哲学の展開を行った。

彼らに共通のキーワードは、イロニーという言葉であり、彼らはそれがソクラテスの「エイローネイア」にも通じる哲学的な思考の純粋形態であると主張したが、この屈折は必ずしもソクラテス的な問答法への尊敬とはいえず、むしろイギリスやフランスの啓蒙主義活動の後塵を拝しているという、自国の置かれた文化的状況に対する意識であったと見るほうが適切であろう。彼らはイロニーが、形式的に自己同一性の言明を否定する、パラドックスの形をしていることに着目し、イロニーを通じて自己創造と自己破壊の無限の交差という、精神の一種のアナーキー状態が生まれることを求めたのである。

†『アテネーウム』から東洋学へ

ドイツ・ロマン主義の人々が牙城としたのは、一七九八年にフリードリヒ・シュレーゲル（一七七二〜一八二九）が、兄のアウグスト・ヴィルヘルム（一七六七〜一八四五）とともにドレスデンで創刊した、『アテネーウム』という雑誌である。弟のフリードリヒはこの創刊号で、自分たちの時代を特徴づける最大の傾向は、「フランス革命、フィヒテの知識学、そしてゲーテの『マイスター』」であると述べたが、これら政治、哲学、文学における「自由」という理念の追求に他ならない。特に、シュレーゲルらにとっては、「疾風怒濤」運動を率いてきたゲーテやシラーは、「プレ・ロマン主義」ともいうべき偉大なる先達であると見なされた。

また、この雑誌の創刊後の一七九八年八月には、ドレスデンにこのグループの主要な人々が一堂に会したが、当時イエナ大学の員外教授に赴任予定であったフリードリヒ・ヴィルヘルム・シェリング（一七七五〜一八五四）もこの会に参加した。彼らは自分たちの美の概念を体現する作品として、ラファエッロの「システィーナの聖母」を選定した。シェリングがアウグスト・ヴィルヘルム・シュレーゲルの妻カロリーネとの運命的な恋愛へと向かうことになったのは、この会合がきっかけである。

この運動の中心人物の一人ノヴァーリスは、「新しい土地の開拓者」という意味の筆名であって、本名はゲオルク・フィリップ・フリードリヒ・フォン・ハルデンベルク（一七七二〜一八〇一）である。彼はこの機関紙の創刊号に「花粉」という断章集を発表し、この断章集がフリードリヒ・シュレーゲルとの「共同哲学」による創作であることを宣言するとともに、「ポエジー」「ファンタジー」「ユーモア」「ウィット」などのキーワードを披露して、この思想運動の重視する手法を開陳した。彼はさらに、ゲーテの『ヴィルヘルム・マイスターの修業時代』という散文作品の傑作にかわるべき、ポエジーによるメルヒェンとして、『青い花』という作品を構想し、主人公のハインリヒが見る夢に現れる「青い花」の象徴的意味を明らかにしようとした。それは、近代的西洋社会が見失った自然との根源的一体性の回復という意味をもっていた。

一方、雑誌『アテネーウム』の主筆であったフリードリヒ・シュレーゲルは、最終巻となる一八〇〇年の第六号まで、この雑誌を舞台にして「ロマン的ポエジー」や「ロマン的イロニー」という概念の洗練に努めるとともに、自伝的な恋愛小説として『ルツィンデ』という作品を発表した。この作品では「ロマン的愛」という言葉が用いられて、社会的慣習に反抗する恋愛の至高性が謳われた。彼はまた、当初のフィヒテの「自我」の哲学を離れて、「自然」を全一的なものと見なすスピノザの哲学への傾斜を強めていった。

フリードリヒ・シュレーゲルは『アテネーウム』の終刊とともに、ドイツを離れ、パリに出てサンスクリット語を学び始めた。彼はそこから、兄とともに、インドなど東洋世界における神話的世界の探究へと進むことになるが、フリードリヒの論文「インド人の言語と知恵について」の発表は、まさしくヨーロッパの哲学思想が東洋学へと目を向けることになった、決定的な第一歩を記すものであった。彼らの後、ヨーロッパの東洋学は急速な発展を遂げることになったが、それは同時に、ショーペンハウアーの哲学へのインド思想の影響や、その延長上に位置づけられるニーチェのツァラトゥストラの思想など、この世紀の西洋批判の哲学を生み出す、非常に大きな原動力となったのである。

†ナポレオンと哲学

さて、シュレーゲル兄弟がロマン主義に別れを告げて、東洋学という新しい思想に向けてパリで歩みを始めたちょうど同じ頃、フランスでの政治の舞台のほうも、革命後半の恐怖政治からナポレオンの独裁へと大きく転換していった。

ナポレオンは革命直前にフランス領となったコルシカ島に生まれた。彼は陸軍士官学校出身の軍人で、若くして革命軍の指揮官として実力を発揮し、一七九九年一一月、革命末期の混乱をブリュメールのクーデタで終わらせ、第一統領となって統領政府を樹立した。さらに一八〇四年に「フランス人民の皇帝」として戴冠式を行った。彼は一方では私的所有権の承認や民法典の発布などによって、革命の理念の継承を行うとともに、他方では貴族制の復活やローマ法王庁との和解など、旧制度への回帰の姿勢も示し、軍事独裁的な政治を行った。

彼はフランス内外の諸勢力との間でナポレオン戦争を戦い、多くの勝利と婚姻関係を通じて、イギリス、ロシア、オスマン帝国以外のヨーロッパの大半をフランス帝国の支配下においたが、モスクワでの敗北後に作られた対仏大同盟軍との戦いに敗れ、最後はイギリス領のセントヘレナに流刑となって、五一年の生涯を終えた。

ナポレオンの人生は、このように基本的に軍人出身の革命主義的将軍が、フランス皇帝という特異な地位に上り詰めると同時に、国家の独立を謳った自らの主張のゆえにかえって、各国の独立への気運を高め、結果的に没落するという皮肉な運命の人生であった。そして、この極端な栄光と没落というドラマのために、ドイツの哲学者たちにも強い興味を引き起こし、この歴史的人物に対する両義的な反応を生むことになったが、この場合のナポレオンと哲学との関係は、まったく偶然の結果というよりも、むしろナポレオン自身がもつ生来の哲学的傾向に、その理由の一端があったとも考えられる。

というのも、ナポレオンは陸軍士官学校を出た後の砲兵少尉の時代から、プラトンの『国家』やルソーとカントの政治哲学に対する強い関心を示しており、後に皇帝の位についてからは、当時のフランス哲学界の代表的理論家たちの立場に批判を加えたり、あるいは自然科学の世界像に関する鋭い問題意識を示したりしたからである。

当時の哲学界における有力な潮流は、エティエンヌ・ド・コンディヤック（一七一四〜八〇）

の感覚論を出発点にした、ピエール・ジャン・ジョルジュ・カバニス（一七五七〜一八〇八）やアントワーヌ＝ルイ＝クロード・デステュット・ド・トラシー（一七五四〜一八三六）らのいわゆる「観念学（イデオロジー）」であったが、ナポレオンはこれらの人々の観察に基づく人間の認識の形成の分析という手法が、実践哲学としてはまったく不毛であることを批判して、彼らの牙城であったフランス・アカデミーの人文学部門の閉鎖を命令した。

また、当時のもっとも偉大な科学者であるピエール＝シモン・ラプラス（一七四九〜一八二七）が打ち出した、一切の自然現象は永劫にわたってその細部にまで決定されているという、決定論的自然観にたいして、「それでは形而上学的原理としての神はどうなるのか」と尋ねた。ラプラスは、「閣下、神はもはや必要ないのです」と答えたことで有名であるが、この逸話が、後にいわゆる「ラプラスの魔」の譬えを生むきっかけとなったのである。

†ヘーゲルとフィヒテ

このように、哲学とも密接な関係をもったナポレオンであるが、彼の存在そのものがドイツ思想における、ゲオルク・ヴィルヘルム・フリードリヒ・ヘーゲル（一七七〇〜一八三一）やヨハン・ゴットリープ・フィヒテ（一七六二〜一八一四）などの、ポスト・カント時代の哲学者たちに大きな影響を及ぼしたことも、よく知られている通りである。ヘーゲルは一八〇六年一〇月フランス軍のイエナ占領を目のあたりにし、友人のニートハンマー宛てに「皇帝が、すなわちこの世界の魂が、検閲のために馬上高く街を出ていくさまを見た」と書き送った。彼はまたナポレオンの失脚を耳にしたとき、同じ友人に宛てて、「とてつもない天才が自らを破壊していく様を見ることは、驚くべき経験である」と書いたのである。

これに対して、フランス革命の時代にその意義を正面から賛美していたフィヒテは、ナポレオンの登場と同時に反フランス的な姿勢を明確にし、一八〇六年にナポレオン軍がドイツ各地に侵攻、同年にベルリンを占領すると、一時移っていたケーニヒスベルクからベルリンに戻り、〇七年末から翌年にかけて『ドイツ国民に告ぐ』の公開講演を行った。

『ドイツ国民に告ぐ』は、ドイツのみならずヨーロッパ諸国民の道徳的堕落への反省を促すと同時に、ドイツにおける祖国愛の醸成を教育の最重要課題として説く講演であり、〇八年に出版されると、ドイツのみならずヨーロッパ諸国の独立気運を鼓舞することになった。この講演のキーワードは「国民（Nation）」という言葉であるが、この言葉が国家主権の担い手として広く認められるようになったのは、いうまでもなくフランス革命における「人権宣言」においてである。その宣言の第三条には、「あらゆる主権の根源は、本質的に国民のうちにある」と明言されている。フィヒテは一七九三年と四年に『フランス革命に関する公衆の判断を是正するための寄与』（以下『フランス革命論』）を発表して、革命の本質が国民を国家主権とする思想にあることを説いていたが、『ドイツ国民に告ぐ』はその延長線上で、国民国家の形成を訴えたのである。

本章では以下に、この『フランス革命論』と同時期に発表された、フィヒテの政治思想のテキストを中心にして、当時のドイツにおける国家意識のあり方を規定した、哲学的思想の中身を確認することにしたいが、その前に、フィヒテに先行するイマヌエル・カント（一七二四～一八〇四）の政治思想にも触れて、フランス革命に対する当時の哲学的反応についてもう少し検討しておきたい。いうまでもなく、フィヒテは自らの哲学的思索の使命が、「カントに始まってカントを超える」ことにあると考え、そのことを政治哲学においても実行しようとしたからである。

2 カントとフランス革命

†革命の拒絶

よく知られているように、『純粋理性批判』において試みられた哲学的反省による思考法の転換は、カント自身によって「革命」に比せられた。彼は自分の企てた形而上学へのアプローチを、コペルニクスの天文学上の転換になぞらえたのである。しかし社会的・歴史的な出来事としての革命に対するカントの態度は、ドイツにおける彼の思想の後継者たちとは異なって、むしろ消極的なものであった。

カントの姿勢は、一七八九年七月に勃発したフランス革命の余韻が収まらぬなかで、公衆に向けて表明されている。国家のあり方に関して言えば、なかでも君主制の是非をめぐって、カントとフィヒテの立場は相違しているが、これは以下に見るように、彼らによって異なる仕方で受け止められた啓蒙思想の受容とも関係している。

政治的・歴史的な出来事としての革命に関するカントの明確な見解が示されているのは、一七九五年に出版された『永遠平和のために』（以下『永遠平和』）である。彼はそこで、国家における統治形態の変更にあたっては、革命よりも改革が優先されるべきである、という見解を表明した。革命の権利に関して言えば、実際に自分自身で「ピューリタン革命」や「名誉革命」を経験したホッブズやロックなどのイギリスの哲学者たちは、革命がその直接的な暴力性のゆえに無政府状態を招くという点で、革命権を否定するか、あるいは極めて消極的に取り扱っており、カントもまたそうした先行者と見解を共有している。革命は統治の空白期間、無政府状態を招くということから容認されず、むしろ改革が採用される。

このような革命否定の傾向のなかにあって、カントにおいて特徴的なのは、革命権の否定が君主制の容認と一つに結びついているところにある。『永遠平和』によれば、君主制が容認されるのは、それが他の政体よりも、理想的な政体とされる「共和制」により近しいからである。その際に比較の対象とされるのが民衆制である。民衆制は君主制にもまして、共和制へと整えられる可能性がなく、むしろ不可避的に専制へと移行する可能性が高い。この場合の共和制（レス・プブリカ）とは、ローマ時代のキケロが説いたように、人間が本来有する社会的本性に由来する、いわゆる「ポリス」に連なる国家概念であり、共通の善を求める人々の群れに対して、その善を提供するもののことである。

共和制への近さというこの比較を理解するためには、国家の形態に関してカントの導入する、「支配の形態」と「統治の形態」という区分法を見ておく必要がある。「支配の形態」とは「最高の国家権力を所有する人々の違い」であり、国家の形態が支配権をもつ者の数によって、君主制、貴族制、民衆制に分けられる。「統治の形態」とは、個々人の特殊意志を超えた一般意志の表現である憲法に基づいて、「国家がその絶対権力を行使する仕方」に関わるものであり、その仕方としては共和制と専制が挙げられる。

前者の区分ではただ単に支配権が何に帰属するのかが問題になるのに対して、後者の区分では、支配権がいかにして行使されるかが問題にされ、特に執行権（統治権）と立法権の分離・非分離が共和制と専制を峻別する基準となる。民衆制が共和的ならざるものとして退けられるのも、民衆制にあっては、全員の意志という名のもとで執行権が行使され、時としては個々の人間の同意なしに決議がなされるからであり、そうした政体は、カントから見れば、個々の人間の同意の上に成立する一般意志の自己否定につながる矛盾的な政体ということになるのである。

そこで改めて君主制を見てみると、君主制はある一つの補足とともにより共和的なものと見なされる。その補足とは代議制である。ここでカントが代議制をもちだすのは、代表する者が複数いれば、代表ということがそもそも困難となるからである。カントが代表的ではない共和制を不完全なものと見なすとき、そこでは代表する者が単独のものであれ、複数のものであれ、代表者に相応しい特質を備えていることが共和制の必要要件であることを示唆している。この点に関して付言するならば、国家権力の執行者の数が問題なのではなく、その執行者が「よい執行者」であるかどうかが問題なのである。

†根源的契約と共和制

こうして革命はカントによって拒絶された。その代わりに採用されるのが改革であり、それは専制を斥け、共和制の樹立を目指すものであった。この共和制という国家形態の基礎をなす理念を規定するために、カントが援用するものは、「社会契約」の考えである。差し当たりホッブズにまで遡ることのできる社会契約は、カントによれば、多数の人間が結合して社会を形成するための手続きであり、その一種である国家（「公民的社会」）を設置するための契約は、「公民を一つに結合する契約」として際立たされることになる。この点については、『永遠平和』に先だって公表された「理論と実践」という論文や、晩年の著作である『人倫の形而上学』（一七九七年）の議論も参考になる。

カントの国家意識をより明瞭にするためには、共和制を求める所以となった理念とされる「根源的契約」についても見ておく必要がある。彼は根源的契約という概念を、「民衆自身が自らを国家へと構成する行為」と規定している。契約という概念は、ホッブズ以降の政治哲学の主導的な概念であり、それは統治者と臣民との関係を規定するものであると同時に、実践的な実在性をもつものでもある、とされる。前者の関係に関して言えば、統治者と臣民の関係は撤回できないものであり、また逆転できないものでもある。

このような理解の下で、カントは根源的契約の理念と共和制との結びつきを、次のように考える。

第一に、社会の成員が（人間として）自由であるという原理、第二に、すべての成員が唯一で共同の立法に（臣民として）従属することの諸原則、第三に、すべての成員が（国民として）平等であるという法則、この三つに基づいて、設立された体制——これは根源的な契約の理念から生ずる唯一の体制であり、この理念に民族の合法的なすべての立法が基づいていなければならないのであるが、こうした体制が共和的である。」(『永遠平和のために』宇都宮芳明訳、岩波文庫、二九頁)

ここには共和制を成り立たせるものが、「法的な自由」であるとともに、「根源的契約」という、理念的なものでもあることが、明瞭に表明されている。法的な自由とは外的な自由であり、理性の自己自身による立法の自由という意味での内的な自由と区別されるとともに、その自由はまた自ら同意することのできた法則に従う自由として、法への従属および法のもとでの平等と並んで、共和制の原理を形成する。とはいえ、根源的契約そのものはカントにとって、歴史的に実在した事実的なものではなく、むしろ理念でしかない。従ってそれはただ、実践的な実在性、すなわち実践を通してのみ獲得されるような実在性をもつとされるのである。

3 フィヒテの政治哲学

カントの『永遠平和のために』が出版されたのは先述の通り一七九五年である。フィヒテは、九六年と九七年に発表した『自然法の基礎』でその政治哲学を明らかにし、九八年に発表した『道徳論の体系』で道徳哲学を開陳した。先に見たように、フリードリヒ・シュレーゲルが『アテネーウム』の創刊号で、自分たちの時代を特徴づける最大の傾向は、「フランス革命、フィヒテの知識学、そしてゲーテの『マイスター』」であると述べたのは、九八年である。ここからも明らかなように、時代は急速にカントからフィヒテに移行していた。とはいえ、厳密に言えば、フィヒテによるカント批判は、それより数年前からすでに始まっていた。

よく知られているように、カントは「啓蒙とは何か」(一七八四年)という論文の冒頭において、啓蒙とは人間が自らの責任で未成年状態から脱することであると定義した。しかしながら、カントの啓蒙の概念に従うならば、「啓蒙君主」は、たとえ民衆を理性の未成年状態から連れ出し、「自己自身の悟性の使用」を促すものであったとしても、民衆を「臣民」として扱い、君主と臣民との、従って支配と服従との関係のもとで、いわゆる「自律」を強要するという点では、矛盾を含んだ存在であった。カントによって感化を受け、自由の理念に従って哲学の体系を打ち立てようとした青年時代のフィヒテの眼には、啓蒙君主はもとより、そもそも君主という存在は、自由の理念に反するものと映ったのである。

フィヒテは、『あらゆる啓示の批判の試み』という一七九二年に匿名で公刊された著作が、長らく待ち望まれていたカントの手による宗教論と勘違いされるという幸運によって、学問的な名声を獲得した。彼はカント哲学の普及を図っていたカール・レオンハルト・ラインホルト（一七五七〜一八二三）がキール大学に転出したことに伴って、一七九四年に、その後任としてイエナ大学に招聘された。彼はいわゆる「カント学派」の拠点であったイエナ大学への着任に先立って、カントを継承すべく、哲学の原理に関する思索を深める一方で、政治哲学に関する数篇の論文を書いている。

一七九三年から翌年にかけて匿名で公刊された『フランス革命に関する公衆の判断を是正するための寄与』は、その題名が示す通り、カントをはじめ、革命について消極的であった公衆の動向を踏まえつつ、革命の権利を人間に固有のものとして正当化しようとするものであった。論文自体は、当初の計画の内、前半部分だけが公表され、残りの部分は書かれることなく、未完となったものの、フィヒテの趣旨はすでに前半部分でよく表されている。その趣旨は、革命の権利は人間の道徳的本性に基づいた正当な権利である、というのである。

†理性による感性の統御

フィヒテによれば、革命権をはじめとする権利の基礎は、「道徳法則」に求められる。道徳法則は、われわれ人間の真の姿を教えてくれるものである。われわれは現象の世界においては多様な姿をしており、それは絶えず変化してゆく。しかし人間は誰もが理性を賦与されている。理性そのものは永遠に変化することのない、人間の真の姿であって、道徳法則は「良心」や「われわれの内部にいる裁判官」として働き、一切の人間に対して、万人に共通する「われわれの自己の根源的な形式」すなわち「真の自己」との一致を求めるのである。

権利はそうした心の内なる道徳法則に根ざすものでありながら、道徳法則からの直接的な命令や禁止である義務とは違って、命じられもしなければ、禁止されてもいないもの、言い換えれば、許されているものに属するとされる。理性的存在者である人間は直接的には道徳法則の支配のもとにある。しかしそれと同時に、道徳法則の効力が直接的に及ばない領域においては、道徳法則が禁止していない事柄として人間には許されていることがあり、そうした許された行為が権利と見なされるのである。革命もまた、国家設立のための契約と同様、許された行為であり、しかもその行為を実際に行うか否かは、あくまで人間の自由意志に委ねられる、という結論が導かれることになる。

しかし、革命権が人間に認められるといっても、いったん契約を通して設立された国家体制が同じ人間の自由意志によって廃棄されてよいのか、あるいはまた、人間のその都度の都合次第で、国家設立の契約が締結されたり破棄されたりしてよいのか、という問題がある。そこで改めて問われるのが、人間の自由意志と理性の道徳法則との一致の内に見出される、行為の道徳性である。

この問いに対してフィヒテは、人間の自由意志と理性の道徳法則との一致が図られるのは、「文化」によってである、と答える。『フランス革命論』では、文化は感性に対する理性のあるべき関係として理解されている。人間は理性的存在者であると同時に感性的存在者であり、理性と感性はつねに闘争の内にある。そこでは、「自由になるか奴隷になるかを賭けた長い、恐ろしい決闘」が繰り広げられ、この決闘に決着をつけ、理性が勝利を収めるためには、理性は感性を「統御し」、かつ「鍛錬する」のでなければならない。

理性が感性を統御するとは、感性が理性に目的を与えるのではなく、むしろ理性が感性に目的を与えることを意味する。というのも、さもなければ、人間の自己は自己自身との不一致に陥り、自己を喪失することになるからである。従って理性による感性の統御とは、感性への隷属からの理性の、従ってわれわれ人間の自己の解放の第一歩である。しかし理性が勝利を確実なものとするためには、さらに理性が感性を鍛えることが求められる。理性による感性の鍛錬とは、理性に直接属さない一切のものを感性との関わりにおいて、感性を通して、理性の働きに適ったものとして整えることを意味する。このように理性による感性の統御と鍛錬は「自由を目指す文化」とも言われ、理性的かつ感性的な存在者が自己自身との一致を成し遂げ、自由を確立するための唯一の方法である、とされるのである。

†自我の解放へ

このように理性の優位を主張するフィヒテの考え方の根本に存するのは、理性そのものと重ね合わされた、自己というものへの関心である。フィヒテは『フランス革命論』と同じ時期に、カントの批判哲学を体系的に捉え直すにあたって、理論哲学と実践哲学を貫く統一的な原理を「自我」という言葉の内に求めるとともに、人間の一切の精神活動を包括するような諸学の体系を「知識学」という名称のもとで構築することに腐心している。

その際、フィヒテが哲学のために使用する「知識学」という名称が、知識や学というものをその原理と応用の両面において根本的かつ体系的に捉える自覚の営みとして哲学を理解していることを表しているのに、注意が必要である。「知識学」としてのこの哲学の原理として採用されるのが、「自我」である。フィヒテのいう自我とは、理性的存在者である人間が誰もみな自分自身のことを「私は……である」と称する際の、一人称的な「私」が指し示すもののことである。

しかしそれはわれわれの個別的な「私」ではなく、個々の「私」に共通する総称的な「私」一般というべきものである。それはまた、眼前に存在する事物のような物体的なものでもなければ、あるいは単に思考されうる観念のような精神的なものでもない。むしろ例えば「文字を書く」という行為によって、「文字を書く人」や「書かれた文字」――主観と客観の関係に集約される一連のもの――が「存在する」として、何らかの存在が意識されるように、存在やその意識を結果として引き起こす原因としての行為そのもの、〈意識しつつ行為する私〉と〈意識されつつ存在する私〉が分離することなしに一つに結びついている、誰もが自分で直接意識するより他ないものを、フィヒテは「自我」と呼ぶのである。

さて、自我という原理は、あらゆる知識の基礎をなすばかりでなく、実践の基礎をなすものとされ、第一哲学である知識学と同様、「応用哲学」が企てられる。イエナ大学での教授時代にフィヒテは、講義に参加した学生向けの配布テキストとして、『全知識学の基礎』（一七九四／九五年）という表題をつけて公刊する一方で、法と道徳に関する、「知識学の諸原理に従った」応用哲学に属する著作を著した。それが先に挙げた『自然法の基礎』（一七九六／九七年）と『道徳論の体系』（一七九八年）であり、彼はこれらの著作を通じて、カントの革命に対する消極的な態度を乗り越える姿勢を示した。これらの著作はいずれも、理性的存在者としての人間が自我の原理に従っていかにして実践のための基礎を得るか、ということを論じつつ、自我の解放というより大きな主題へと向かっている。

フィヒテがこれらの作品で実践のための基礎をなすものとして念頭に置いているのは、法と道徳である。法は、複数の自由な理性的存在者同士が相互認識に基づいて交渉をなすための共同性の基礎を与えるのに対して、道徳は、共同性において各理性的存在者が自由な者として自己を整えてゆくための基礎を提供する、とされる。法と道徳は、すでにカントにおいてそうであったように、ただ単に区別されるばかりでなく、むしろ対をなすものとして捉えられるべきものであり、そうした法と道徳との相互補完という枠組みのもとで企てられるのが、『フランス革命論』で素描された、個々の人間の自由を阻害することなく、各人の自律を促進する国家体制の確立である。

†自由な存在者同士の相互承認

法と道徳を扱う応用哲学は、自我の原理に従う、という点では第一哲学と同様であるものの、自我という語が同時に「私」一般という総称的なものだけでなく、「この私」という個別的なものを指示していることを考慮する、という点で第一哲学とは区別される。自我の原理において分離されることなく、一挙に捉えられた自我の行為とその所産は、実際の行為の場面においては、「私は私である」という自我の直接的な意識に反省が加えられ、相違するものとして意識されることになる。例えば「文字を書く」という行為は、「文字を書く人」と「書かれた文字」として区別され、それに伴って、自我もまた「世界」という非自我的なものに対して開かれ、自我の原理は世界との関係へと適用（「応用」）されることになる。その際、自我の原理に基づく法が関わるのは、「書かれた文字」を介して「文字を書く人」である「この私」と交渉する者、すなわち「他の私」である。

フィヒテが個我や他我といった概念を導入することによって企てているのは、経験とともに非自我的なものとしてわれわれの眼前に現れてきて、自我を多様なものに分解し、その関係の内に自我を拘束してしまう世界から、世界の一部であるとともに自我の原理に貫かれたものである存在者同士の相互交渉を通して、自我を解放することである。簡単に言えば、個々人の自由の余地が全くない、世界による拘束を、個々人の自由の余地を残した、他者による拘束に置き換えることである。その場合の他者とは、眼前の存在者Bを自由な者として認識し、その者が自由に行為することを許容する、そのかぎりで「理性的な」存在者Aであることが想定される。

理性的他者Aの働きかけは「促し」と言われるものである。それは、眼前の存在者Bが自由であることを認識する（「承認する」）行為であるとともに、BがAを同様に自由な者として認識するよう要求する行為でもある。この要求を伴った働きによっていずれの個人も、自らの自由のための領域を確保する一方で、他者による要求に応じることをやめてしまうと、言わば「人格」ならざる「物件」として扱われ、直ちに自由を喪失するという、自由であろうとする者が誰もそこから抜け出すことのできない拘束状態の内に置かれることになる。この促しを介した理性的存在者同士の相互認識（「相互承認」）の関係が「法関係」とされ、国家体制の原型と見なされるのである。

自由な存在者同士の相互関係はお互いに相手が理性的であることを前提しあうものである。全くの不法状態の内に置かれた者が、敵対する者によって自らの自由が絶えず脅かされ、かえって不自由な状態に陥っているのとは異なり、法関係の内に置かれた者は一定の範囲において自由のための領域を確保している。しかしそれでもなお、自由は制限つきのものであり、法制度といった外的なものによる束縛を完全に撤廃してはいない。この束縛を最終的に解消する企てが有限な理性的存在者自身の道徳意識の確立とされるのである。

†道徳性の原理

一定の法的秩序をもった国家体制に属する人間は、理性を有する者が他者による促しに応答するように、法に同意し、そのかぎりで法を遵守する「よい国民」ではあるとしても、その者が直ちに道徳的に見て「よい人間」というわけではない。それは、フィヒテからすれば、自我の原理になお反するものであり、理性のより一層の開化を必要とするものでもあった。それはまた、啓蒙された「君主」という後見人に導かれ、一定の規律のもとに置かれた「臣民」が、なお支配と服従の関係にとどまり、啓蒙の途上にあったのと同様である。

そこで持ち出されるのが「道徳性の原理」である。それは、一人ひとりの人間の内なる道徳意識であり、道徳的な事案に関して自ら吟味することを各人に課すものである。その際の試金石となるのは、自らの自我というあり方が自由という理念に合致しているか、ということである。自らの自我が、自己以外の何かによって定められた法に従うのではなく、自らが立法した法に従っているかどうかということ、すなわち、自律的であることが問われるのである。

各人の自我と自由の理念との合致という道徳性の原理によって、フィヒテは自我の解放を成就しようとする。このことは、国家概念について重要な洞察を伴っている。その洞察とは、万人が道徳性の原理に従って自律的となった状態においては、自律的であることを強制するような国家体制は消滅する、というものである。国民の誰もがみな、啓蒙という、従ってまた自由で自律的な者への高まりという人類共通の目標に近づくことを許容する国家こそ、真の国家というべきものであろう。フィヒテはカントの啓蒙思想を継承しつつ、それを乗り越えることを目指すことで、この結論へといたったのである。

さらに詳しく知るための参考文献

アンドレ・マルロー編『ナポレオン自伝』(小宮正弘訳、朝日新聞社、二〇〇四年)……ナポレオン自身が遺した日記、書簡、布告などのおびただしい文章から、マルローが選び出して、その壮大な生涯に光を当てたドキュメント。

宇都宮芳明『カントの啓蒙精神』（岩波書店、二〇〇六年）……カントが啓蒙をどのように理解したかを明らかにすることで、啓蒙精神によって貫かれ、「永遠平和」の思想へと至る、カント哲学全体の見取り図を提供している。

ヴォルフガング・ケアスティング『自由の秩序――カントの法および国家の哲学』（舟場保之・寺田俊郎監訳、ミネルヴァ書房、二〇一三年）……「よく秩序づけられた自由」という原題に示されている通り、カントの法哲学・国家哲学が、理論哲学・倫理学に劣らず、「自律」の思想を体現していることを教えてくれる。

ギュンター・ツェラー『フィヒテを読む』（中川明才訳、晃洋書房、二〇一四年）……「フィヒテをカントから読む」ことを通して、フィヒテの哲学の全体像を体系的・歴史的な展開において描き出し、その徹底を「自由」をめぐる政治的思索の内に捉える好著。またフィヒテの「共和国」の構想に関する最近のものとしては、熊谷英人『フィヒテ――「二十二世紀」の共和国』（岩波書店、二〇一九年）がある。

加藤尚武・滝口清栄編『ヘーゲルの国家論』（理想社、二〇〇六年）……日本におけるヘーゲルの国家論研究のこれまでの成果を総括すべく編まれた論文集。特にカントやフィヒテの法論に対するヘーゲルの批判については、加藤尚武氏の論文が示唆的。

コラム1 カントからヘーゲルへ

大河内泰樹

『カントからヘーゲルへ』は、R・クローナーが一九二一〜一九二四年に刊行した著作のタイトルである。そこで提示されたドイツ観念論史の記述は、スタンダードな理解として長らく受け入れられてきた。対して、D・ヘンリッヒが二〇〇三年に英語で出版した著作も同様にドイツ観念論史を扱っているがこちらは『カントとヘーゲルの間』と題されている。このふたつの著作のタイトルは一見とても似ている。しかし、この「……から……へ」と「の間」の間には、そこに込められたドイツ観念論理解の大きな違いがある。

一方のクローナーの「カントからヘーゲルへ」は、そこに単線的な進歩があることを想定している。この見方によれば、カントに始まり、ヤコービ、ラインホルト、マイモン、フィヒテ、シェリングを経て、ヘーゲルに至る哲学史は、一段一段階段を上っていくように最終的な完成に向けて上昇していく過程であることになる。こうした哲学史観自体ヘーゲルの『哲学史講義』を下敷きとしていると言えるがドイツ観念論の理解は、最近までこうした単純化された理解にとらわれてきたのである。

他方、ヘンリッヒが「カントとヘーゲルの間」に見ているのは、まさに「あいだ」であり、そこにあるのは進歩ではなく、それぞれ卓越した体系の試みと、その相互影響関係ないしせめぎ合いである。またヘンリッヒは、比較的無名な当時の哲学者たちのテキストを掘り起こし、五年ないし場合によっては一年という短い期間の哲学的議論状況の配置（コンステラチオン）を、膨大な記述で描き出す「コンステラチオン研究」を主導してきた。カントとヘーゲルの間でドイツ観念論を形成していたのは、右に名前を挙げたいわゆる大哲学者たちだけではなかったのである。

ヘンリッヒの著作は一九七〇年代に彼が米国で行った講義がもととなっているのだが、クローナーの著作の五〇年後にヘンリッヒはまさにドイツ観念論史観の転回を迫ったと言えよう。そして、そうした見方はそのまた五〇年後の現在では一般的となっている。しかしまた、後期シェリングの重要性が指摘されていることを考えれば、ヘーゲルで終わるかのようなこの「カントとヘーゲルの間」という定式化も現在の研究水準では問題がないわけではない。最近では「ドイツ観念論」という呼称も不適切だとされ「ドイツ古典哲学」と呼ぶことも提案されているが、いずれにせよ、多くの並外れた知性が、思考の森に深く分け入りながら、しのぎを削りあい、今でも取り組まれるべき膨大なテキストを紡ぎ出していた、哲学史上類い希なこの時代のドイツ哲学をもはやクローナーの考えていたような仕方で「カントからヘーゲルへ」と定式化することはできないのである。

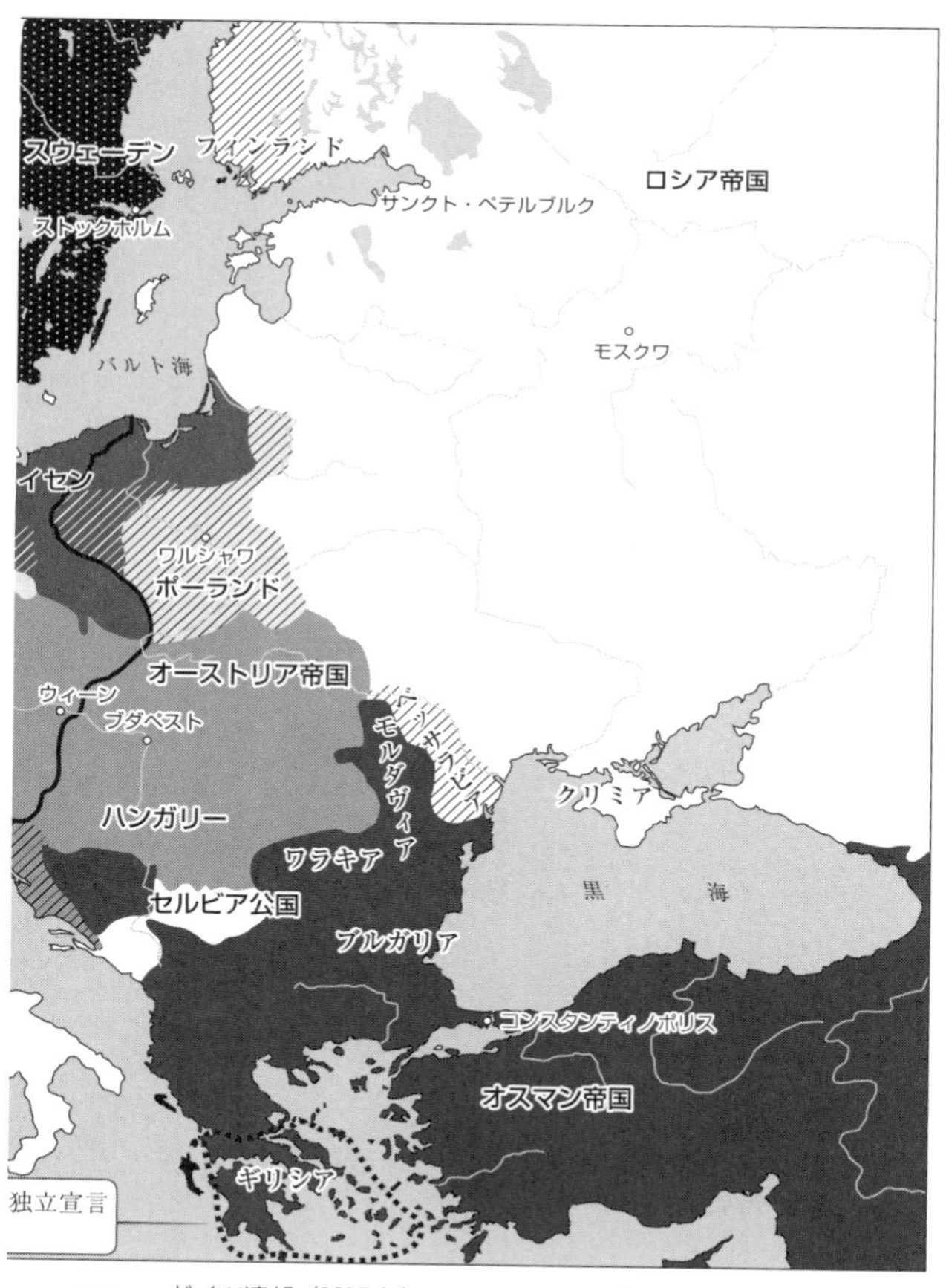

ドイツ連邦（1815年）　1830年列国承認のギリシア領土
ウィーン議定書で得た領土

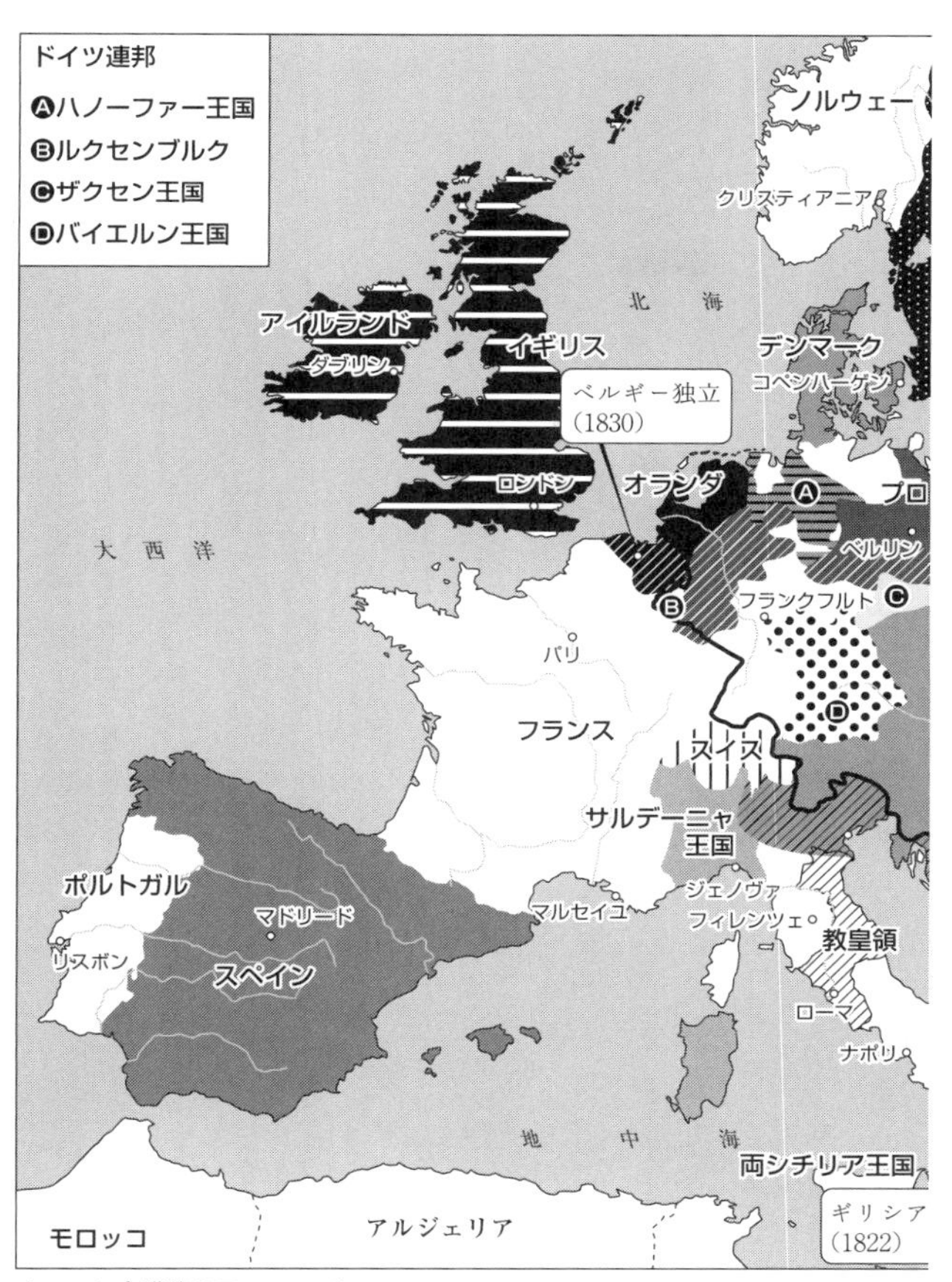

ウィーン会議後のヨーロッパ

第3章 西洋批判の哲学

竹内綱史

1 西洋哲学の転回点

†哲学のアイデンティティ・クライシス

一八三一年、ヘーゲルが死んだ。それは西洋哲学史の大きな転回点と言われている。産業革命の進展や政治的激動の時代を背景としつつ、ヘーゲルの死は「哲学の時代」の終わりと「科学の時代」の幕開けを告げるものだったのである。哲学はかつて宗教から王座を引き継ぎ、あらゆる問題を最終的に解決する任務を自らに課した。ヘーゲル哲学はその完成形である。だが今や哲学のその特権性は失われ、さまざまな問題には諸科学がはるかに的確に対処することになるだろう。かくして哲学はアイデンティティ・クライシスに陥った（H・シュネーデルバッハ『ドイツ哲学史 1831―1933』舟山俊明ほか訳、法政大学出版局、二〇〇九年）。それは今でも続いている。哲学とは何かが、哲学者ないし哲学研究者自身にも自明ではなくなったのである。哲学にしか答えることのできない、哲学固有の問題とは何なのか。要するに、「哲学とは何か」ということそれ自体が、哲学の問題となったのだ。しかしこれはもちろん、嘆かわしいことなどではない。私たちは「哲学とは何か」を自ら考え、そしてそれとともに、そのつど新たな「哲学史」が構想され得るのだ。「世界哲学史」とはそのような試みの、脱西洋的な視点からの継続なのである。

本章の主人公であるアルトゥール・ショーペンハウアー（一七八八〜一八六〇）が弱冠三〇歳にして主著『意志と表象としての世界』を刊行したとき（一八一八／一九年）、まだベルリンでヘーゲルが君臨しており、「哲学の時代」が最後の輝きを放っていた。よく知られたエピソードがある。主著刊行直後、彼はヘーゲルに対抗して、ベルリン大学でヘーゲルとまったく同じ時間に講義をしたが、ヘーゲルの講義は大入り満員であるのに対し、彼は数人しか学生を集められなかったのである。ショーペンハウアーの本はほとんど顧みられることなく、彼はヘーゲルとその流れをくむ者たちへの（多分に嫉妬に満ちた）罵詈雑言を幾度となく書き連ねている。

しかしながら、ショーペンハウアーが七二歳の生涯を閉じたとき（一八六〇年）、彼は時代の寵児となっていた。一八五〇年代から突如彼の本は売れ始め、晩年には散歩中に転んだことが新聞に載るほどの有名人となっていたのである。そして一九世紀後半は「ショーペンハウアーの時代」と言っても過言ではないほどに、その影響力は哲学のみならず芸術や文学などの多方面に及んでいったのだ。ショーペンハウアー哲学の当初の無視と晩年の流行、その間にヘーゲルの死が挟まっている。彼の哲学は、「哲学の時代」に成立し、「科学の時代」に受容された。彼は西洋哲学史のあの転回を象徴する哲学者だと言ってよい。

†この世は生きるに値するのか

ショーペンハウアーは「哲学の時代」の哲学者として、文字通り「すべて」を説明しようとする体系哲学者である。彼の主著は認識論に始まって、存在論・自然哲学・美学・倫理学・宗教哲学のすべてを包括し、それは「ただ一つの思想」の展開なのだとされている。だが、彼の哲学は体系哲学としての評価はあまり高くない。その点に関しては、カントやドイツ観念論の巨星たちの方が一枚も二枚も上手だったのかもしれない。しかし、あの転回後の人々、「科学の時代」を生き始めた一九世紀後半の人々は、科学では決して答えの出ない問題について、ショーペンハウアーが決定的な問い、哲学固有の問い、哲学がまず考えなければならない問いを、提出したのだと理解した。それはすなわち、「この世は生きるに値するのか」という問いである。

ショーペンハウアー自身のその問いに対する答えは「否」である。だが彼によるこの問いの提起とその答えが、所謂「ペシミズム論争」を巻き起こし、一九世紀後半のドイツを席巻した。それは哲学者や知識人のみならず一般の人々の口の端にも上るような「論争」であったが、そのような時代状況の中から、敢然とショーペンハウアーに反論し、二〇世紀以降の思潮に絶大な影響を及ぼすことになる一人の哲学者が出現する。本章のもう一人の主人公、フリードリヒ・ニーチェ（一八四四〜一九〇〇）である。

現代では、ハイデガー（一八八九〜一九七六）の哲学史観（「存在史」）がショーペンハウアーを軽視したこととの多大な影響のもと、彼の哲学は「二流」の烙印をおされているようにも見える。また、「この世は生きるに値するのか」という問い――これは「人生の意味」をめぐる問いと言ってもよい――は、今では哲学の中心問題だとは見なされていない。むしろそれは「素人臭い」問いとして、「専門的」な哲学からは忌避される類の問いであるとすら言える――近年はまた状況が変わりつつあるが。しかしショーペンハウアーはこの問いを哲学の問題として提起し、ニーチェは生涯それと格闘した。そしてそれは西洋のみならず世界中の宗教や哲学が問題としてきた問いであった。ショーペンハウアーとニーチェは、「世界哲学史」という視角からすると、特筆大書すべき位置を占めていると言えるのだ。

ではあらためて、ショーペンハウアー哲学の新機軸はどこにあったのか。さまざまな点を挙げることができるだろうが、本章では以下の三つを取り上げたい。①「無意識」の次元の発見、②神の不在、③インド思想との出会い、である。それらは西洋哲学を根本から揺るがすものであった。西洋哲学のなかから、西洋そのものを批判する視点が形を成してきたのである。ニーチェによってその批判はラディカルに突き詰められる。この二人の哲学自体の解説に入る前に、右の三点について簡単に説明しておこう。

①「無意識」はショーペンハウアーやニーチェ自身の術語ではない。彼らはもっぱら「意志」もしくは「生」という言葉を使っている。だがそれは、フロイト（一八五六～一九三九）以降――フロイトはその二人から大きな影響を受けている――、「無意識」と呼ばれている次元を名指していると考えてよい。私たちは、自分自身の身体の内奥にある何らかの「力」によって突き動かされており、それは意識では捉えられないものである。私たちは、本当は、理性的な存在などでは決してなく、むしろ不合理で動物的な諸衝動のかたまりにすぎないのだ。こうした人間観は、理性的存在であることに人間の誇りや栄光、そして希望を見てきた（特に近代以降の）西洋哲学の基本設定を覆すものであった。またこれは「身体」の次元を哲学に導入することと言うこともできる。ショーペンハウアーは西洋哲学史上ほとんど初めて、身体を哲学の中心にすえた哲学者である。「生の哲学」と呼ばれる思想潮流もここから始まる。

②ショーペンハウアー哲学には「神」が出てこない。現代日本の多くの読者は、「そんなの当たり前だ、神様が出てくるような哲学なんて本当の哲学ではない」と思うかもしれない。たしかに、近代の西洋哲学は——そして科学も——世界の仕組みを説明するために神を持ち出すことはなくなっていた。だが、神が伝統的に果たしてきた役割はそれだけではない。神がいないということは、人間や世界の「善性」を保証する存在も、人々を最終的に「救済」する存在もいないことになる。人間はどうしようもなく悪しき存在であり、世界は悪に満ちている。しかも誰もそこから私たちを救ってくれないのだ。ショーペンハウアーはこのことを人々に嫌というほど見せつけたのである。そして「神は死んだ」というニーチェの有名な宣言は、まさしくこの問題を言い当てているのだ。

③神がいないことはしかし、救済が不可能であるということを直ちに意味するわけではない。神という超越的な存在によって、言わば「他力」によって、救済されるという道を自らに禁じたショーペンハウアーは、別の道、言わば「自力」の道を探ることになる。キリスト教の禁欲的苦行者や神秘主義者といった「聖人」の道を、彼は自らの宗教哲学の中心に据えた。そこに、インド思想との出会いが加わる。ただ、彼の哲学の成立にインド思想が及ぼした影響は限定的と思われる。むしろ彼は、自らの哲学体系を西洋哲学の文脈の中でほぼ確立した後になってから、インド思想に出会うことによって、自分の哲学とそれとの近さに驚愕したのである。この

出会いは運命的である。黎明期の西洋のインド学がその最大の理解者を得、その後、広く知られるようになってゆく。ショーペンハウアーは「仏教哲学者」として、いやさらに「仏教徒」そのものとして受けとめられ、西洋の人たちに「東洋の叡知」を伝え、「世界哲学史」上、極めて大きな役割を果たしたのだ。ニーチェはもちろん、私たちもその継承者なのである。もっとも、現代の目からすれば当時の受容には少なからぬ誤解と偏見があったのだが。

以上の三点を念頭におきつつ、次節は実際にショーペンハウアー哲学の内容を確認していくことにしよう。そしてその後、ニーチェによるその批判を見ることにする。

2 ショーペンハウアー

†「世界は私の表象である」

『意志と表象としての世界』（以下『世界』と略。同書は一八四四年に「続編」が出ているが本章では「正編」のみを扱う）は、「世界は私の表象である」という印象的な一文で始まる（『世界』第一節）。「表象」とは私たちの意識にもたらされるあらゆる事柄を指す語なので、この一文は、世界とは私の意識に映るものでしかない、という意味である。これはさしあたり独我論——真に存在するのは私だけであり、私以外の全世界は私の意識のなかにのみ存在するにすぎないという考え方——の宣言のように見える。

少し考えてみればわかるように、独我論を否定するのは難しい。というより、不可能である。「私」とは「世界」が演じられる舞台そのものであり、諸事物も他人たちもすべて「私」の意識のなかにのみ存在するということは、原理的に否定できないのである。これは実に奇妙である。しかも、さらに奇妙なことには、私たちは独我論について「語り合う」ことができる。独我論とは、定義上、「他者」が存在しないものであるはずである。しかし、まさに私のこの文章を読んで、読者は、「確かにそうだ」とか、「いやそんなはずはない」とか、思うことができる。なぜか、私「たち」は、独我論を「共有」できるのである。したがって、独我論は否定できないが、その独我論的「私」がなぜか無数に存在し、唯一の世界のなかに共に存在しているのだ。この極めて奇妙な事態が、『世界』の出発点である。

ショーペンハウアーにおいて、この奇妙な事態を解き明かす手がかりとなるのが、身体という特殊な存在者である。「私」の独我論的唯一無二性と、世界内の諸事物のなかの一つでしかない「私」という、「私」の二側面が出会っている現場、それが身体に他ならない。ショーペンハウアーによる独我論の不思議の解釈はこうである。認識主観は唯一であり、その唯一の認識主観が唯一の世界を成り立たせている。そしてその万人共通の唯一の認識主観が各身体に

「宿る」のだ、と。

これはおそらくまったく常軌を逸した世界理解、「私」理解に聞こえるだろう。この常識はずれな世界理解はしかし、常識的世界理解の性質も指し示している。それは「エゴイズム」である、と。ショーペンハウアーに言わせれば、「私」は万人共通の唯一の認識主観でもあるのだが、それに気づかずに個体としての「私」の立場に留まることは、「エゴイズム」なのである。「世界は私の表象である」という一文は、そのようなエゴイズムへと陥ってしまう必然性を示してもいるのだ。

では、その問題を解く鍵となる「身体」とは何なのか。それは意志の表れなのだとショーペンハウアーは言う。

†身体と意志

認識主観は身体との同一性によって個体として〔この世界に〕登場するわけだが、その認識主観にとって、この身体は二つの全く異なった仕方で与えられている。一方では、悟性的直観における表象として、諸客観の間にある客観として、客観の法則に従っている。もう一方ではしかし、同時に全く異なった仕方でも与えられており、それはつまり、各人が直接的に知っているあのものとして、意志という語で表示されるものとして。(『世界』第一八節)

ショーペンハウアーによれば、私が自分の身体を動かすとき、その動きは物理法則に従っており、科学的に因果関係を特定できる。その点では身体はそれ以外のあらゆる物体と同じである。だがしかし同時に、身体が動いているとき、私はその身体を動かしている力を内的に感じている。それが「意志」と呼ばれているものである。注意しなければならないのは、ここで言う意志は知的作用と何の関係もない。つまり、一般的に「意志」という言葉で想像されるような意図的な意志のことではない。現象としては、何らかの認識が原因（動機）となって身体が動く、という必然的な過程である。その動きを可能にする力、それがここで言う意志である。「意志は、純粋にそれだけで考察するならば、認識を欠いており、盲目で止まることのない衝迫にすぎない」（同第五四節）。

ショーペンハウアーは身体のこうした二重の与えられ方を、「自然におけるあらゆる現象の本質への一つの鍵として用いる」ことを提案する（同第一九節）。つまり、「われわれ自身の身体ではない客観、それゆえ二重の仕方ではなくただ表象としてのみわれわれの意識に与えられている客観全てを、まさしくあの身体のアナロジーによって判定する」（同）ことを試みるのである。というのも、私の身体も他の諸客観も、表象としては全く同じように与えられているのだから、表象に現れているものを取り去った後に残るものも、「その内的本質に従えば、われわれわれが自分自身に関して意志と呼んでいるものと同じものであるに違いない」（同）からである。

かくして、アナロジーという方法によって、私の身体で内的に感得されたあの力が、他のあらゆる事物の内部へと転用される。つまり、身体を介して自然の中に意志を見ることで、人間も含めた世界全体のあらゆる諸事物を、一つの意志の表れと理解するのだ。

†同情（共苦）の倫理学

世界全体を「一つの意志」の表れと見るというのは、もちろん形而上学である。「アナロジー」という慎重な方法を用いているとはいえ、そのような形而上学に納得できるだろうか。だが、ショーペンハウアーはもう一つ、意志の形而上学を正当化する重要な議論を展開している。それは、「同情」というありふれた現象を基礎とした、彼の倫理学である。

通例「同情」と訳されるドイツ語「ミットライト」は、苦しみ（ライト）を共に（ミット）することである（そのため現在は専門的には「共苦」と訳されることが多い）。私たちは同情（共苦）によって他者と同じ苦しみを共に苦しみ、その苦しみを取り除こうとする。これ自体は一見ありふれた現象であるが、ショーペンハウアーは、この同情（共苦）に基づく行為のみが道徳的価値を持つという。

彼の言う道徳的行為とは、他者の快を動機とする行為のことである。その反対は、自らの快を動機とした行為であり、それは「エゴイズム」である。ショーペンハウアーにおいて、快とは苦の不在以外の何物でもないので、右の二つの行為は、他者の苦しみを取り除く行為（道徳的行為）と、自らの苦しみを取り除く行為（エゴイズム）、と言い換えることができる。道徳的行為とは、他者の苦しみを認識し、それを取り除こうとする行為のことである。この「他者の苦しみの認識」が、同情（共苦）である。これが道徳的とされる行為の唯一の動機と考えられている。

ショーペンハウアーによれば、同情（共苦）というこの認識はしかし、普通の認識ではない。誰かが苦しんでいるような外面的そぶりを見て、そこからその人の苦しみを推論する、というものではない。そうではなく、この認識は「直覚的」なものである。他者の苦しみが直接的に私の苦しみとして感じ取られること。これが同情（共苦）なのである。

だがなぜこのようなことが可能なのか。それは、同情（共苦）が、他者のうちに自分と同じ本質、つまり自分と同一の意志を見て取ることだからだとショーペンハウアーは考える。これは「個体化の原理を見破ること」とも言い換えられている。つまり、空間時間（彼はこれを「個体化の原理」と呼ぶ）によって成り立っているこの表象世界を超えて、物自体である一なる意志に目を向けることである。他者は（実は）私と同じ意志であり、他者の苦しみは（実は）そのまま私の苦しみである。これが同情（共苦）の基礎、すなわち、道徳の形而上学的な基礎なのだと、ショーペンハウアーは言う。「個体化の原理を見破ることだけが、自身と他の個体の違いを廃棄することによって、他者に対する最も非利己的な愛および最も高潔な自己犠牲に至るまでの心根の完全な善を可能にし、説明するのである」（『世界』第六八節）。

しかるに、ショーペンハウアーは、表象世界を成り立たせている個体化の原理などを、古代インドの『ウパニシャッド』から借りてきた語である「マーヤーのヴェール」（迷妄）と呼び、そのヴェールの向こう側を見ること、つまり同情（共苦）を成り立たせている「真理」、万物が本当は同一の意志であるということを、「汝はそれなり（tat tvam asi）」というこれも『ウパニシャッド』の言葉で表現している（同第六三節など）。そしてまた、「あらゆる愛とは同情（共苦）である」として、同情（共苦）はキリスト教のアガペーでもあると見なし（同第六六節）、偉大な諸宗教は同じ真理を共有しているのだとも主張している。

†意志の否定

けれども、いかに同情（共苦）による道徳的行為が存在しようとも、この世界が苦しみに満ちていることを変えることはできない。というよりむしろ、同情（共苦）によってこそ、私たちは世界が悪の坩堝であることを思い知らされざるを得ない。たとえ私個人が苦しみからある程度逃れられているとしても、世界は苦しみに満ち満ちているのだから。

そもそもこの世の生は苦しみの連続でしかない。それはこの世界が意志の表れであることからの必然的帰結であるとショーペンハウアーは見ている。意志は絶えず何かを求めるものである。しかし何かを求めているということは、何かが欠けているということであり、欠乏は一つの苦しみである。意志は自らの渇きを癒すために常に何かを求め続けるが、それは決して満たされることがなく、無際限に求め続けるしかないのだ。だがもちろん、その意志を妨害することもまた苦しみでしかない。単純に言えばこうだ。私たちの欲望には際限がない。欲しいものを手に入れても、次から次へと欲しいものが出てくるだけである。なぜならそれは「満たされない思い」のような苦しみに発しているからである。しかし、欲しいものが手に入らなければ、それもまた苦しみである。私たちの生は苦しみに引き渡されており、満たされぬ渇きに突き動かされてあくせくした挙句、最後には死ぬだけである。この世を生きるとはそういうことだ。この世は生きるに値するものではない。そうショーペンハウアーは結論する。

だが、そのような世界からの救済として、「意志の否定」という道が存在すると彼は言う。それはもちろん、「意志しないことを意志する」ということではない。それは自己矛盾である。そうではなく、この世が苦しみに満ちていることをはっきりと認識することで、おのずとこの世のものを何も欲さなくなること、これが「意志の否定」と呼ばれるものである。それは「諦念」とも言い換えられる。苦しみをはっきりと認識するとは、自らの人生において何らかの大きな苦しみに見舞われることによってでもあり得るが、先ほど見た同情（共苦）によっても到達されるものとショーペンハウアーは考えている。

ではそのような「意志の否定」ないし「諦念」とは、いかなる状態なのだろうか。ショーペンハウアーは、そのような境地に達した者は「内的な喜悦と真の天上の安寧に満ちた」（同第六八節）状態へと至るのだと、聖人伝などを引用しながら語る。それは一種の宗教的境地なのである。したがって、「そのような状態はしかし、本来は認識とは呼べない。なぜならその状態はもはや主観客観の形式を有していないし、個人的な経験としてのみ接近可能で、他人に伝達できるような経験ではないからである」（同第七一節）。「しかるに徹頭徹尾哲学の立場に立ち続ける者であるわれわれは、ここでは否定的な認識で我慢し、肯定的な認識のぎりぎりの境界石まで到達したことで満足しなければならないのである」（同）。つまり、そのような境地は哲学的に語り得ないのだから、ここで哲学者は沈黙しなければならないのだ。かくして『世界』の本論は次のように閉じられる。ここで語られる「無」はさまざまな解釈や誤解を生んできたが、これはもちろん単純に「世界が消滅する」といった意味ではないことには注意すべきである。

意志を完全に廃棄した後に残るものは、なお意志に満たされているすべての者にとっては、もちろん無である。しかしまた逆に、意志を転換し否定した者にとっては、これほどリアルな私たちのこの世界が、その太陽や銀河の全てともども——無なのである。(同)

なお、現行の『世界』にはこの一文の最後(つまり本論の一番最後)に次のような注が付いている。「これこそまさしく仏教徒たちの般若波羅蜜多(Pradschna-Paramita)、「あらゆる認識の彼岸」である。つまり、主観も客観も存在しない地点である」(同)。この注はショーペンハウアー哲学とは「仏教哲学」なのだという認識を広めるのに一役買ったものだが、実は彼自身が付した注ではない。晩年に彼が自分の本に書き込んでいたものが、死後になって注に繰り入れられたものである。実は『世界』は版を重ねるたびに書き足された部分が多いのだが、インド哲学や仏教への言及は書き足された部分に多いことも銘記しておくべきだろう。そういう経緯もあり、ショーペンハウアーとインド思想との関係については未だに議論が尽きない問題である。

3 ニーチェ

†「神は死んだ」

ニーチェはライプツィヒで古典文献学の学生だった頃（一八六五年）、偶然ショーペンハウアーの『世界』と出会い、一気にそのとりことなった。哲学上の最初の著作『悲劇の誕生』（一八七二年）は古典文献学の本として古代ギリシア悲劇を扱ったものであるが、ショーペンハウアーの影響が極めて色濃い。だがすでにその本の中で、ニーチェはショーペンハウアーに抗し、「この世は生きるに値するのか」というあの問いに対し、肯定の答えを出そうとしている。以後、ニーチェは生涯その問いと格闘し、「生の肯定」を自らの哲学的プロジェクトの中心とし続けたのである。

ニーチェと言えば「神は死んだ」という言葉がよく知られている。一番有名なのは、「狂気の人」が市場にやってきて「神は死んだ！」と人々に告げるという、奇妙な情景を描いた一節だろう（『悦ばしき知識』第一二五節。なお同書のタイトルは『喜ばしき知恵』『愉しい学問』という訳もある）。その「狂気の人」は「俺は神を探している！」と叫びながら市場に駆けてくると、「そこにはちょうど神を信じない人が多く集まっていたので、彼は大笑いをまきおこした」のであって、彼は笑い転げるこの無神論者たちに「俺たちが神を殺したのだ」「神は死んだ」と告げるのである（同。傍点引用者（以下同様））。

もちろん注目すべきは、「狂気の人」と「無神論者」のズレである。本章の最初に、神が伝統的に果たしてきた役割には二つあると述べた。一つは、この世界の究極的な説明原理としての役割、もう一つは悪に満ちたこの世界から私たちを救済する役割である。そのズレはここに起因する。「無神論者」たちは世界の説明原理としての神を否定したことを、一つの「勝利」として、人類の「進歩」として、誇っている。だが他方、「狂気の人」は、もし神が存在しないならば、救済が不可能となったかもしれないこと、「この世界は生きるに値するのか」というあの問いが突きつけられざるを得なくなったことを、恐るべき問題だと感じているのである。ニーチェはその問題を「ニヒリズム」と呼ぶが、「無神論者」たちは、「神の死」が引き起こすこの大きな問題に、気づいてすらいないのだ。

右の話が出てくる少し前には次のように書かれている。

> 新たな闘い。——仏陀が死んだ後も、なお数百年の長きにわたって、ある洞窟に彼の影が見られたという——途方もなく戦慄すべき影が。神は死んだ。だが、人の世の常として、ひょっとしたらなお数千年の長きにわたって、神の影が見られる洞窟があることになるだろう。——そしてわれわれ——われわれは神の影をも打ち倒さねばならない！（同第一〇八節）

この一節が「神は死んだ」という言葉の（公刊著作における）初出だが、ポイントは明らかに「神の死」という出来事それ自体ではなく、「神の影」なるものの打倒である。「神の死」はすでに自明の出来事であり、多くの人が認めているが、より重要なことは、「神の影」の打倒という「新たな闘い」なのだ、と。では「神の影」とは何なのか。それは形而上学を指す。それは打倒されるべきだとニーチェは言うのだ。ここにショーペンハウアーとは違う彼独自の道があるのである。

†同情（共苦）道徳批判

ニーチェは「科学の時代」の哲学者として、形而上学——自然を超えた何ものかが存在し、それによって万物が規定されているとする思想——を否定する。それはソクラテスやプラトン、そしてキリスト教という西洋文化の根幹に対する苛烈な批判という形をとるが、最大の仮想敵は常にショーペンハウアーであった。その批判は多岐にわたるが、一つの中心は、先に見た同情（共苦）道徳に対する批判である。それはあらゆる現象が「一つの意志」の表れであるというような形而上学の否定のみならず、あらゆる人に妥当する客観的な善が存在するという発想の否定でもある。

ニーチェの同情（共苦）批判のポイントは、「苦の不在」というショーペンハウアーの幸福観に対して、苦しみと対峙してそれを克服する活動にこそ幸福があるとされる点である。ニーチェは言う。「おまえたちはできることなら――そしてこれ以上馬鹿げた「できることなら」は存在しないが――苦を取り除くことを欲する。……おまえたちが理解するような息災であること――そう、それはいかなる目標でもなく、終わりであるようにわれわれには思われるのだ！……苦による、大いなる苦による訓育――おまえたちは知らないのか、ただこの訓育のみが、これまで人間のあらゆる向上をもたらしてきたのだということを？」（『善悪の彼岸』第二二五節）。それゆえ、「他者の幸福の増進」という「道徳的に正しい」ことをするのであれば、「他者の苦しみの除去」ではなく、「（なるべく多く、なるべく重い）苦しみを他者が自ら克服する手伝い」をするべきだ、ということになる。「私が友らに教えたいのは、今日これほどわずかな者しか理解していないこと、同情（共苦）のあの説教者には最も理解されていないこと、すなわち――共に喜ぶことなのだ！」（同）。

ショーペンハウアーが同情（共苦）をキリスト教のアガペーや『ウパニシャッド』の思想と同一視し、「意志の否定」を仏教の涅槃と重ねていたことは先に述べた。それがどこまで妥当なのかは現代の視点からは疑問もあるが、ニーチェはショーペンハウアーによるその同一視を受け入れ、自らの批判はキリスト教や仏教に対する批判でもあると理解していた。ショーペンハウアーは神による他力救済を否定し、仏教的な自力救済に可能性を見たが、ニーチェの目からすると、そもそもそこで共通して考えられている「救済」が問題なのである。ショーペンハウアーは——そして彼の考えではキリスト教も仏教も——、「世界は苦しみに満ちている」がゆえに、私たちは世界から救済されなければならないと考えた。それに対しニーチェは、「世界は苦しみに満ちている」という前提は共有しているが、それゆえこの世は生きるに値する、と結論するのだ。

これは単にショーペンハウアーなどとは幸福観が違うだけだとも見える。だがニーチェに言わせれば、同情（共苦）をショーペンハウアーのように「道徳の基礎」とすることは特定の幸福観こそが「唯一正しい」幸福観と見なすことであり、それはそのような幸福観を持つ特定のタイプの人たちのみが「唯一正しい」人間のタイプだと宣言することに等しいのである。したがって、ニーチェの主張にはあらゆる人に共通する善など存在しないという含意がある。確かに「苦の不在」を善だと考える人が多いかもしれないが、「苦の克服」を幸福と考える人もいるし、人類の進歩や文化の精華はそのように生を肯定する者たちによってこそ達成されると、ニーチェは考えているのだ。

†永遠回帰

以上のような生の肯定の最高の形、「およそ到達され得る限り最高の肯定の定式」（『この人を見よ』「ツァラトゥストラはこう言った」第一節）としてニーチェが持ち出してくるのが、有名な「同じものの永遠回帰」である。これはよく知られているように「あらゆることが同じ順序でそっくりそのまま無限に繰り返される」という奇妙な思想である。

お前が今生きておりこれまで生きてきたこの人生を、おまえはもう一度、そして無数回、生きなければならない。そこには新しいことは何もなく、あらゆる苦痛もあらゆる悦びも、あらゆる思いもため息も、お前の人生の言い表せないほど些細なことも大きなことも全て、回帰するだろう。しかも何もかもまったく同じ順序に従って。（『悦ばしき知識』第三四一節）

これは一つの思考実験である。ニーチェが語っているのは、生を肯定するのであれば、すべてを肯定できなければならない、ということである。人生の終わりに際して、「これが人生というものであったのか？　さあ！　もう一度！」（『ツァラトゥストラはこう言った』第三部「幻影と謎」第一節）と言えなければならないのだ。とても幸せな瞬間を何度でも味わいたいという気持ちは誰しもが持つものであろうが、そのような瞬間のみならず、辛く悲しい日々であれいつか訪れる自分の死であれ、そのすべてが肯定されるべきだ、と。

いや、実はそれにとどまらない。「永遠回帰」とは、単に個人の人生が繰り返されるという話ではなく、世界全体が繰り返されるという話だからだ。永遠回帰の世界ではどんな悪も――アウシュヴィッツであろうとヒロシマであろうと3・11であろうと――無限に繰り返されるのだ。そんな世界に耐えられるだろうか。いや、「耐える」のではなくて、そのように世界全体が何度も繰り返してほしいと、おのずと祈ってしまうことこそが真の「生の肯定」なのである。

　ニーチェ自身がこのような肯定の境地に実際に達していたかどうかは疑わしい。先に述べた「苦の克服」という幸福観によってそのような肯定に至ることができるとニーチェは考えていた節があるが、それもかなり無理があるようにも思われる。また、この肯定の境地こそ、ニーチェが批判したつもりになっていた仏教的な悟りに近いのではないかという解釈もあり得る。ニーチェの提示した「生の肯定」をどう受け止めるかは、今なお開かれた問題なのである。

†一つのエピソード――日本とのつながり

　最後に一つのエピソードを紹介しておこう。本シリーズ第1巻第5章（赤松明彦「古代インドにおける世界と魂」）にも登場したパウル・ドイッセン（一八四五～一九一九）という西洋哲学・インド哲学研究者は、実はニーチェのギムナジウム時代からの友人である。ニーチェの勧めでショーペンハウアーを読むようになり、その信奉者となった彼は、後にドイツの「ショーペンハウアー協会」を設立し――それは現在も存続し世界の研究をリードしている――、ショーペンハウアー全集の編者となった。そのドイッセンのもとに、一人の日本人が留学した。インド哲学を研究し、後に東京帝国大学教授として日本の宗教学の礎を築いた姉崎正治（嘲風）（一八七三〜一九四九）である。姉崎は日本に最初にニーチェを紹介した一人である高山樗牛の親友でもあるが、一九〇〇年八月にニーチェ死去の電報がドイッセンのもとに届いたとき、彼もその場に居合わせたという。姉崎は帰国後、ショーペンハウアーの『世界』を初めて日本語に翻訳した。日本のショーペンハウアー研究はそこから始まり、この小論もその研究の蓄積の末端に連なるものである。「世界哲学史」というより糸の一つは、こうして私たちにも繋がっているのである。

さらに詳しく知るための参考文献

須藤訓任責任編集『哲学の歴史9 反哲学と世紀末』（中央公論新社、二〇〇七年）……ショーペンハウアーとニーチェのみならず、一九世紀から二〇世紀にかけての西洋哲学を知るために、本書の次に読むには最適。

R・ザフランスキー『ショーペンハウアー 哲学の荒れ狂った時代の一つの伝記』（山本尤訳、法政大学出版局、一九九〇年）……大部の本だが、ショーペンハウアー哲学の内容を知るためだけでなく、「哲学の時代」の終焉を生きた彼の伝記としても、大変読みやすく、また面白い。

ロジェ＝ポル・ドロワ『虚無の信仰 西欧はなぜ仏教を怖れたか』（島田裕巳・田桐正彦訳、トランスビュー、二〇〇二年）……仏教が西洋に本格的に紹介され始めた一九世紀初頭から、いかに受容され誤解されたかについて、わかりやすくまた刺激的な一冊。ショーペンハウアーの革新性もわかる。古代から現代までを通史的に扱いつつショーペンハウアーとニーチェにも一章ずつ割いているF・ルノワール『仏教と西洋の出会い』(今枝由郎・富樫瓔子訳、トランスビュー、二〇一〇年)もお薦め。

永井均『これがニーチェだ』(講談社現代新書、一九九八年)……数多あるニーチェ入門書のなかでも、これが随一。かなりクセがあるとはいえ、「ニーチェとともに哲学する」には最適の入門書。なお、ニーチェ(およびショーペンハウアー)に関する比較的新しい研究書としては、B・レジンスター『生の肯定 ニーチェによるニヒリズムの克服』(岡村俊史・竹内綱史・新名隆志訳、法政大学出版局、二〇二〇年)がお薦め。本章では扱えなかった様々な論点についても、緻密かつ明快な解釈がなされている。

コラム2 シェリングの積極哲学の新しさ

山脇雅夫

後に「積極哲学」体系の第一部（これに第二部「神話の哲学」第三部「啓示の哲学」が続く）になっていく未完の草稿群『諸世界時代』において、シェリングは「自己とそして世界とも分裂しているという非常に鮮明な人間の感情」について語っている。近代が、人間と自然とが分裂し全体の調和が失われたことによる意味喪失の時代であるという認識において、そしてこうした時代の問題と哲学的に対峙しようとした点において、シェリングはヘーゲルと一致していた。しかしこの問題への応答において、シェリングはヘーゲルとは対照的な別の思想の可能性を開いてみせた。

「絶えざる矛盾解消の運動として臨在する統一」、「自らにとって他なるものである世界に現在する神」、こうした概念装置によってヘーゲルは矛盾にみちた現実をある意味で理性化する。目的に向かう運動そのものの中に目的の実現を認めることで、ヘーゲルは現実をエンテレケイア的に捉えた。

しかし、現実の何であるか（was）、その本質を論理的推論によって認識するヘーゲル的理性は、それが存在するということ（daß）を示すことができない、とシェリングは見る。それは、ヘーゲルの理性が自らを生み出したもの、自らの「過去」を知らないためである。

シェリングの積極哲学は、理性そのものをより大きな時の体系の中に位置づけようとするものである。シェリングは「存在」が理性に回収されないものであることを見据え、すべての思惟に先立つこの存在からの理性の生成を跡づける。その意味でシェリングは積極哲学を「歴史的哲学」と特徴づける。

「現在」は、理性が自分を生み出したものである理性の他者＝自然的なものと対立している時代である。シェリングは反理性主義者ではなく、この対立の克服は、自然的なものが理性に内在化されるという形で構想される。しかし対立が克服されても、自然的なものが根絶されるということはない。理性に抗う「理性の他者」は理性の根底で働き続け、かえってその力と強さの源となるとされる。すべてを回収するヘーゲル的理性とは全く異なった理性のあり方をシェリングは示していると言える。

そしてまた、現実の中に理性を見たヘーゲルとは異なり、シェリングは対立の統一が現在において実現されているとは考えない。現在は将来の統一への移行段階にすぎない。現在の対立を超克する「未来」を思考する可能性をシェリングは開いている。ブロッホ（ハーバーマスは彼を「マルクス主義的シェリング」と呼んだ）の「未だ‐意識されないもの」の哲学や、ある意味ではマルクスもまた、シェリングの開いた地平の上にいる。

第4章

マルクスの資本主義批判

佐々木隆治

1 マルクスと「マルクス主義」

†近代の解放思想としての共産主義

冷戦終結からおよそ三〇年を経て、現実政治への影響力が低下したようにみえる現在においても、カール・マルクス（一八一八〜一八八三）の思想について語ることは依然として大きな困難を伴う。その困難をもたらしているのは、私たちが依然としてマルクスが批判の対象とした資本主義経済の内部で生活し続けているという社会的制約だけではない。マルクスの思想そのものに内在する近代主義と近代批判という、対立しながらも補完しあう二つの契機が事態をいっそう複雑にしている。

一五世紀から一八世紀にかけての長い「産みの苦しみ」を経てヨーロッパに誕生した資本主

義経済は、人類史上極めて特異な経済システムであった。のちに経済人類学者のカール・ポランニーが指摘したように、それが成立するには、「悪魔の挽き臼」としての市場がそれ以前のあらゆる社会システムの基本原理であった共同体に取って代わることが必要であり、そのことは人々の生活様式に根本的な変化をもたらした。一面では共同体的な人格的依存関係の束縛が消失し、「自由競争」が行われることにより、生産力が飛躍的に上昇し、人類が享受することのできる物質的富が増大する。だが、他方では、人間生活の大部分が市場経済に依存するようになるため、人々の運命は経済の好不況に大きく作用されるようになり、不安定化する。とりわけ、失業すれば住む場所さえ失ってしまいかねない無所有の賃金労働者たちは、進展する機械化のもとでますます厳しい競争にさらされ、低賃金、長時間労働が社会に蔓延していく。

この全く新しい経済システムの誕生とともに、民衆の解放思想もそれ以前の宗教的ユートピアを脱ぎ捨て、新たな装いのもとに現れてくることになる。それこそが、社会主義、共産主義にほかならない。この近代的ユートピアは、世俗的欲望の即自的な充足を理想としたかつての中世的ユートピア思想とは異なり、現在の社会矛盾の克服を志向するものであり、合理性や進歩によって特徴付けられる。すなわち、勃興しつつあった資本主義が生み出した失業や貧困、労働苦といった問題を克服する理想郷が様々な形で構想されたのである。

たとえば最も激しい階級闘争が展開されたフランスでは、フランス革命に参加したバブーフ

（一七六〇〜一七九七）がその限界を乗り越えるべく土地の私的所有の廃棄による「平等の共和国」の実現を主張し、サン＝シモン（一七六〇〜一八二五）が産業の担い手による自主管理と国際連帯を唱え、フーリエが貧富の格差や恐慌をもたらす「文明社会」を「ファランジュ」という人々の情念を満たすための独特な共同社会に置き換えることを説いた。一九世紀半ばに活躍したブランキもまた、バブーフの思想を継承し、アソシエーション（協同組織や連合などと訳される）が結合することにより、労働者が生産手段の所有者となり土地や自然の富を共有する共産主義社会を目指した。

†ヘーゲルの歴史哲学とマルクスの唯物史観

一九世紀半ばに哲学者、思想家としてヨーロッパに登場したマルクスの思想は、まさにこのような近代的な解放思想を継承し、それを徹底するものであった。マルクスの共産主義論の特徴の一つは、その実現を歴史の必然的発展過程のなかに位置づけたことにある。この点で、マルクスはヘーゲルの後継者でもあった。というのも、ヘーゲルは世界史を「自由の意識が前進していく過程」として捉えることによって、近代的な理性の立場から歴史を発展過程として理解する視座を与えたからである。

もちろん、後に青年ヘーゲル派が批判したように、現在の「われわれ」の見地から事後的に歴史を捉え返していくという方法には、今ある現実のなかに理念を見いだすという、それ自体としては正当な概念的把握が、たんなる現実の擁護になりかねないという欠点があった。それゆえ、マルクスは、青年ヘーゲル派が提示したような、なんらかの理念によって時代を超越しようとする「啓蒙主義」を斥けつつも、むしろ現実に生産活動を行い、日々の生活を営んでいる人々の活動様式の発展から歴史を捉え返し、近代社会を超える新たな社会を展望しようとしたのである。

ヘーゲルが自由の様式にしたがって世界史を「専制政治」、「民主制及び貴族制」、「君主制」として区分したように、マルクスは生産様式にしたがって世界史を「アジア的、古代的、封建的、および近代ブルジョア的生産様式」として区分した。そして、「ブルジョア社会の体内で発展しつつある生産諸力は、同時にこの敵対関係の解決のための物質的諸条件をも作り出す」のであり、それゆえ、「この社会構成をもって人間社会の前史はおわりをつげ」、共産主義社会が実現されると主張した（『経済学批判』）。これがいわゆる「唯物史観」である。のちにルカーチが述べたように、マルクスは「ヘーゲル哲学のなかに潜んでいる歴史的な傾向を徹底的に、極端なまでに推し進めた」のである（『歴史と階級意識』）。

†近代化イデオロギーとしての「マルクス主義」

産業革命以降、急激な生産力の上昇を実現しつつあった近代社会、とりわけ社会主義運動や民族解放闘争にとってこのマルクスの歴史観のインパクトは絶大であった。というのも、それは資本主義経済のグローバルな発展の趨勢を予言し、その最大の変革勢力が労働者階級であることを明らかにしたからである。

ただし、マルクスの理論が直接に人口に膾炙したわけではない。その理論はマルクスの死後、盟友のフリードリヒ・エンゲルスやその弟子であるカール・カウツキーによって森羅万象を説明する一つの世界観として通俗化され、ドイツの労働運動、社会主義運動に広められた。ロシア革命後には、スターリン体制のもとで国家体制を思想的に正当化するドグマとなり、ソ連の権威と物質的力を背景に世界中に流布された。このように、マルクスの死後に図式化され、単純化された、俗流的なマルクス解釈の体系のことを本章では「マルクス主義」と呼ぶことにしよう。

もちろん、「マルクス主義」がマルクス理論のたんなる捏造であるなら、世界を揺るがすほどの影響力を持つことはなかっただろう。それは、マルクスの思想における近代主義的要素——すなわち、合理主義、実証主義、進歩史観、生産力主義、ヨーロッパ中心主義など——を一面的に肥大化させ、資本主義経済と近代国民国家からなる近代的社会システムの内部で、主流の近代化イデオロギーとは異なるもう一つの対抗的な近代化イデオロギーを形成した。だからこそ「マルクス主義」にもとづく諸々の政治運動は二〇世紀の歴史において多大な成功を収めることができたのである。

しかし、その成功の秘密が近代主義にあったかぎりで、それはけっして近代を超える理論的射程をもたなかった。ウォーラーステインも指摘したように、資本主義世界システムの中心部では代議制民主主義のもとで資本主義経済の修正を求める社会民主主義に転化し、革命が成功した半周辺および周辺部では近代的政治権力の担い手となることで国際的な主権国家体制のなかに封じ込められ、中心部の資本主義とは異なる開発独裁型の国家資本主義という形態での近代化を正当化するイデオロギーとして機能するにとどまった。

だが、マルクスの思想には近代主義から派生しながらも、それと鋭く対立するもう一つの要素があった。それこそがマルクスが「経済学批判」と呼んだ、資本主義経済とそれが産出する諸々のイデオロギーにたいする根底的な批判である。この近代批判の契機は「マルクス主義」においてはほとんどその牙を抜かれ、副次的なエピソードに貶められるか、全く無視されるかのどちらかであった。だが、それはロシア革命後に再び発見され、様々な弾圧と圧力にもかかわらず、二〇世紀後半以降の哲学や思想に少なからぬ影響を与えてきた。以下では、「マルクス主義」とマルクスの近代批判を対照させることにより、世界哲学史におけるマルクスの意義について考えてみたい。

2　哲学批判

†エンゲルスによる「哲学」化

実は、マルクス自身のテキストに即するならば、「マルクスの哲学」なるものは存在しない。むしろマルクスは青年ヘーゲル派の影響下にあった最初期の論文を除いて、一貫して哲学に批判的な立場をとり続けた。だが、マルクスが経済学批判を遂行したことはよく知られているが、同じように彼が哲学批判を遂行した人物であることはあまり知られていない。もちろん、これは「マルクス主義」による「哲学」化の影響によるものだ。

マルクス理論の「哲学」化に先鞭をつけたのはエンゲルスである。後述するように、マルクスにとって唯物論はむしろ哲学からの離脱を意味していたにもかかわらず、彼はマルクスによって「はじめて、唯物論的世界観が……問題になっている知識分野すべてにわたって……首尾一貫して展開された」と述べ、世界の根源を物質にみる哲学的世界観としての唯物論を主張した（『フォイエルバッハ論』）。

また、エンゲルスは弁証法を、森羅万象を説明する普遍的一般法則として理解した。彼によれば、「歴史において諸事件の外見上の偶然性をつうじて支配している弁証法的運動法則と同じものが、自然のうちでも、無数のもつれあった変化をつうじて自己を貫徹して」おり、「この同じ法則は、人間の思考の発展史をもやはり縦糸のように貫いている」のであり、「普遍妥当的」なものである（『反デューリング論』）。だが、マルクス自身は、自然や社会、そして人間の思惟を普遍的に貫く「弁証法的運動法則」について語ったことは一度もない。すでに見たような「唯物史観の公式」と呼ばれる叙述ですら、マルクス自身は用心深く「導きの糸」という表現を採用しており、それらが「哲学とはちがって、それに則って歴史的諸時代が正しく切り分けられることのできる処方箋や図式をけっして与えない」ことを明言していた（『ドイツ・イデオロギー』）。

なるほど、エティエンヌ・バリバールが指摘したように、「マルクスが哲学的言説の伝統的な形態と使用法にたとえどれほど反対していたとしても、彼自身が哲学的諸言表を彼の歴史‐社会的な分析や政治的活動の命題と織り合せたということは、ほとんど疑う余地がない」（『マルクスの哲学』）。その意味では、依然として「マルクスの哲学」について語ることが不可能なわけではない。だが、それは再び「マルクス主義」的な哲学体系に逆戻りすることでもなければ、マルクスが「哲学的良心」を「清算」するまえの最初期の諸著作のなかにある哲学的言辞を抜き出して再構成することでもない。マルクスの哲学について語るには、マルクス自身の文脈にしたがって哲学批判の意味を見定めることが必要なのである。

青年ヘーゲル派とマルクス

若きマルクスがとりわけ影響を受けたのは青年ヘーゲル派のリーダーであったブルーノ・バウアーの自己意識の哲学である。バウアーは、真理の根拠としての実体を重視するがゆえに主体がもつ自己反省的な革新的契機を現在の「われわれ」に回収してしまうヘーゲル哲学の保守性を厳しく批判し、主体である自己意識こそが真の実体であり、歴史を形成し、発展させてきたと主張する。そして、自己意識が未熟であるがゆえに生み出してしまった自らの疎外態――すなわち自らが生み出したものでありながら自らに敵対し、自らを支配する存在――である宗教を、自己意識それ自身による宗教批判によって克服しようとしたのである。

ところが、情勢が反動化するなかでマルクスは哲学者として大学に職を得ることを断念し、ジャーナリストとして活動し始めるが、このとき木材窃盗取締法など、現実の経済的利害をめぐる問題に関与した経験が、マルクスに青年ヘーゲル派の抽象的な哲学的問題構成にたいする疑問を抱かせることになる。マルクスはより具体的な変革構想を探るべくヘーゲル法哲学の批判的研究に取り組み、草稿『ヘーゲル国法論批判』では、私的領域である市民社会と公的領域である国家が互いに疎遠になってしまっている近代社会の二元主義は、市民社会で現実に生活する人々が政治に参画する「民主制」によって克服されなければならない、とした。

しかし、マルクスはパリで刊行された『独仏年誌』（一八四四年二月）に掲載された二つの論文で早くもこの構想を放棄する。「ユダヤ人問題によせて」では政治的民主主義の実現によって前近代的特権が取り払われることにより、むしろ近代的二元主義が徹底されることが指摘され、「ヘーゲル法哲学批判序説」では変革の根拠が市民社会で生活する人間の欲求、端的にはプロレタリアートの欲求に求められることになる。このような感性的欲求の重視は青年ヘーゲル派の代表者の一人であるルートヴィヒ・フォイエルバッハ（一八〇四～一八七二）のヒューマニズム的な感性的人間の哲学に基づくものであった。

こうして、理念による意識の変革という青年ヘーゲル派の問題構成からの離脱を始めたマルクスはパリで経済学の研究を本格的に開始する。このとき作成したノートの一部が『経済学・哲学草稿』と呼ばれる手稿である。ここでマルクスは私的所有を自明の前提とする経済学者たちを批判し、私的所有の根本原因を「疎外された労働」という近代に固有な労働のあり方、端的に言えば賃労働に見いだした。マルクスはバウアーの自己意識の抽象性をフォイエルバッハの感性的人間によって批判し、疎外を自己意識における疎外としてではなく、市民社会における疎外として把握したのである。他方、マルクスはフォイエルバッハの感性的人間の静態性をバウアーの自己意識のダイナミズムによって批判し、「労働」を両者の結節点として位置づけた。ここでは、人間たちは私的所有という疎外された形態をとりながらも労働という感性的かつ意識的行為をつうじて自らを発展させ、やがて疎外を克服し、「人間主義」と「自然主義」の統一を実現するであろう、という展望が示されている。

†「新しい唯物論」へ

この時点まではフォイエルバッハを批判しながらも依然として高く評価していたが、ブリュッセル亡命後のマルクスはフォイエルバッハを含むあらゆる哲学を批判する立場へと移行する。青年ヘーゲル派の論客の一人であったマックス・シュティルナーの批判をうけ、マルクスは自らとフォイエルバッハの理論的差異を明確にするために「フォイエルバッハ・テーゼ」と呼ばれるメモを手帳に書きつけた。このなかでフォイエルバッハの唯物論は感性的人間の直観によって人々を宗教から解放しようとするものにすぎず、依然としてブルジョア社会の立場に立っているが、自らの唯物論は人間の実践的活動から出発し、その実践が現実社会において生み出す矛盾を把握するものであり、「人間的社会」の立場に立つ「新しい唯物論」であるとした。

エンゲルスと共同執筆した草稿『ドイツ・イデオロギー』においてはさらに徹底的な哲学批判が遂行される。哲学は、イデオロギーが現実的諸関係から自立した力をもっていると考え、このイデオロギーそのものを世界の異なる「解釈」によって批判し、人々を啓蒙することによって世界を変えようとした。しかし、マルクスによれば、この闘い方は誤っている。問題はむしろ、イデオロギーを生み出さずにはいない現実的諸関係を批判的に分析し、現実的諸関係そのもののなかに変革の契機を見いだすことである。マルクスが自分の立場を「実践的唯物論者」と言い表したのは、まさに変革のための根拠を理念にではなく、現実の実践的諸関係のうちに見いだそうとしたからなのである。

この「新しい唯物論」ないし「実践的唯物論」から必然的に生まれてきたのが、生産力と生産関係の矛盾に新しい社会の成立根拠を見いだす「唯物史観」であった。一八四八年革命の直前にマルクスが共産主義者同盟の綱領として執筆した『共産党宣言』において述べられているように、ブルジョア社会のなかで成長した生産力とブルジョア的生産関係との矛盾が深まり、恐慌として現象するとともに、プロレタリアートが賃金労働者として生活するために団結することを学び、アソシエーションを形成していく。こうして、「階級と階級対立をともなう旧ブルジョア社会にかわって、各人の自由な発展が万人の自由な発展のための条件となるようなひとつのアソシエーションが現れる」(『共産党宣言』)。

†批判的思考としての「哲学」

以上から明らかなように、マルクスの哲学批判は現実世界にたいする精神的な力、すなわち意識、意志、概念などの力を過大評価するあらゆる思考に向けられている。それゆえ、マルクスの理論もまたそれ自体ではなんらかの現実を変革しうる力を持っていない。先駆的な「マルクス主義」の批判者であったカール・コルシュが指摘したように、「マルクス主義理論は社会的・歴史的過程の一般的表現なのだから、マルクス主義理論もこの歴史的・社会的過程全体によって条件づけられたものとして捉えねばならない」（『マルクス主義と哲学』）。

マルクスにとって何らかのア・プリオリな、超歴史的な妥当性をもつ哲学体系を構築することは問題にならない。マルクスは「超歴史的なことがその最高の長所であるような普遍的歴史哲学理論」の拒否を繰り返し表明している。むしろ、マルクスが行おうとしたのは資本主義経済という特殊歴史的な生産システムが必然的に産出する人間の意識と行為にたいする不可避的な制約を明らかにすることであり、それをつうじて現実に存在する変革可能性を見通し、創造的な実践の地平を切り開くことだった。だからこそ、マルクスは主著『資本論』第一巻において、「じっさい、分析によって宗教的幻影の現世的核心を見いだすことは、逆に、その時々の現実的生活諸関係からその天国化された諸形態を説明することよりもずっと容易である。後者が唯一の唯物論的な、したがって科学的な方法である」と述べたのである。

もはや問題は「世界を解釈」し、その内容を起点にして世界を変革しようとすることではない。むしろ、「世界を変革する」ために、この近代社会システムが生み出し続けている、私たちの思考と行為にたいする「枷」を明らかにしなければならない。マルクスにとってこれを遂行するものこそが経済学批判にほかならなかった。

このような批判的思考は、もはやマルクスが批判した意味での哲学ではないが、他方で、たんなる実証主義に解消できるものでもない。伝統的な近代哲学と対立するようにみえる諸々の実証主義は、アドルノが指摘したように、無媒介的に「方法論」に固執するために、むしろいっそう直接的な近代主義の表出となる。だからこそ、マルクスはその経済学批判の出発点において(『経済学批判要綱』)、その哲学としての限界を認識しつつも、近代社会システムの概念的把握に苦闘したヘーゲルの論理学に立ち返らざるを得なかったのである。

このように、ドイツ観念論の偉大な成果に立脚しながら、近代社会システムを越える批判的思考様式を創造したという意味では、マルクスの理論的営みはやはりひとつの「哲学」であった。この批判的思考はルカーチをはじめとする西欧マルクス主義に、フランクフルト学派の批判理論に、アントニオ・ネグリやジョン・ホロウェイなどのオートノミスト・マルクス主義に、そして精緻な文献研究にもとづく種々の批判的マルクス研究に継承されていくことになる。

3 経済学批判

†経済的形態規定の支配

マルクスの経済学批判を理解することの困難は哲学批判のそれを上回る。人類史的観点からみれば極めて特異なシステムである資本主義的生産様式は、市場経済が生活の隅々にまで浸透した現在においては私たちの日常そのものであり、その特異性を認識することは容易ではない。しかも、マルクス自身が述べているように、その経済学批判の試みの完成形である『資本論』第一巻の叙述は、関連する草稿に比して「方法がはるかにより隠された」ものになっている。このような困難を背景にして、マルクスの経済学批判は「マルクス経済学」という近代主義的理論体系へと再編されてしまったのである。

現代ドイツの最も著名なマルクス研究者、ミヒャエル・ハインリッヒも強調するように、マルクスの経済学批判を他のあらゆる経済学から根本的に区別するものは経済的形態規定の批判的分析である。『資本論』第一巻の冒頭で指摘されるように、資本主義社会においては財の大部分は「商品」という形態をとって現れる。ここでは、財はたんに人々の欲望を満たすことができる有用性（使用価値）を持っているというだけではない。あるいは、たんに交換の対象となっているというだけでもない。ここでは財は、人々がそれぞれの私的利益にもとづいてできるだけ安く買い、できるだけ高く売る対象、すなわち値踏みをする対象として扱われている

（「価値」すなわち交換力を持つものとして扱われている）。すなわち、財は、値踏みの対象である（「価値」をもつ）という特殊な形態をもっている。資本主義システムにおいて財がとるこの形態こそが、「商品形態」という経済的形態規定にほかならない。さらに、それじたいとしては不可視な、商品の「価値」を表現するために、必然的に、特定の一商品が他のあらゆる商品の価値を表現する「一般的等価形態」をとり、「価値」という純粋に社会的な力を体現する強力な存在になる。これが「貨幣」である。

このような経済的形態規定は、人間が経済活動をつうじて生み出すものでありながら、人間の活動のあり方を規制し、制御する。財が商品形態をとる資本主義システムの内部では、何をどれだけ生産し、誰にどれだけ分配するかという生産活動の社会的編成を、人間たちの側の論理によって、例えば伝統（身分や世襲）や社会的意志決定（独裁者によるものであれ、民主的な意志決定にもとづくものであれ）によって遂行することはできない。というのも、そこでは、人々はバラバラの私的個人として、個々の私的利害のために、私的に生産活動を行うからである。それゆえ、資本主義システムでは、生産活動の社会的編成は、自分たちの生産した商品が売れるのか、あるいはいくらで売れるのかといったことをつうじて、すなわち、商品形態をつうじて調整され、制御されることになる。端的に言えば、私的生産者からなる社会では、人間たちが生産の編成と生産物の分配を直接に実現することができず、それを商品形態に依存して行わなければならないのである。

このように、資本主義システムにおいては、人間たちが自らの行為をつうじて生み出した経済的形態規定が人間たちの行為や意識を枠付け、規定する力を持つ。この形態規定は、あくまでも諸個人の振る舞いによって形成される社会的力であるが、そのような振る舞いを継続しているかぎり、現実に私たちの実践に大きな影響を与え続ける。それゆえ、私たちは、形態規定という概念によって、自分たちを規制し、制御し、支配する社会的な力を、外在的に、あるいは静的に把握するのではなく、自分たち自身の行為によって絶えず再生産される力として、内在的かつ動的に把握することが可能になるのである。なお、経済的形態規定の支配による人格の変容は後にルカーチやアドルノが展開した論点であり、また、この経済的形態規定の生産実践をつうじた再生産についてはホロウェイやネグリなどが強調している。

このような近代に固有な主体と客体の転倒をもたらす経済的形態規定の支配は『資本論』全体のモチーフをなしている。現実の歴史において全面的な商品生産が成立するには自給自足の共同体的生活秩序を破壊し、労働力を商品化することが必要であり、商品を生産する私的な生産活動、すなわち私的労働は実際には賃労働によって行われる。労働過程一般として抽象的に考察するなら、賃労働もやはり生産者が能動的に生産手段に働きかけることによって遂行する自然過程であることには変わりないが、賃労働はこれをもっぱら資本の機能として、すなわち資本の価値増殖という目的に従属するかたちで行う。ここでは、目的は富の生産そのものではなく、資本の価値増殖なのだから、「生産諸手段は、労働者によって彼の生産的活動の素材的諸要素として消費されるのではなく、労働者を生産諸手段自身の生活過程［価値増殖過程］の酵素として消費する」（『資本論』第一巻）。

さらに、資本主義的生産様式においてはこの転倒した過程がたえず繰り返され、「労働者自身はたえず客体的な富を、資本として、彼にとって疎遠な、彼を支配し搾取する力として生産する」（同前）。賃労働をつうじて資本主義的生産関係がたえず再生産されるようになると、人々は賃労働の時間のみならず、自由時間の消費活動をも資本に依存するようになり、休息時間は明日も労働力を販売するために労働力を再生産する時間となる。さらに、賃労働者の雇用は資本の価値増殖活動の活発さに依存するのだから、賃労働者たちはたえず失業と貧困の恐怖に曝される。まさに資本主義的生産様式とは「労働者が現存の価値の増殖欲求のために存在するのであって、その反対に対象的な富が労働者の発展欲求のために存在するのではないという生産様式」（同前）なのである。

†「マルクス経済学」

このように、近代に固有な経済的形態規定がなぜ、いかにして成立するのかを労働の社会的形態（私的労働および賃労働）から明らかにするのがマルクスの経済学批判の核心であった。ところが、「マルクス経済学」においてはこのようなマルクスの経済学批判の決定的契機は等閑視されるか、経済学にとってはさほど重要ではない副次的なエピソードへと貶められてしまう。価値論は商品形態論なき俗流的労働価値論に、貨幣論は価値形態論なき交換過程論ないし貨幣機能論に、資本の生産過程論は労働論なき搾取論に転化させられる。こうして、「マルクス経済学」は資本主義経済の根本特徴を資本家による生産手段の私的所有にもとめる「所有基礎論」へと陥り、資本主義的生産様式の力の源泉が特定の労働形態がたえず産出する経済的形態規定にあることは忘れ去られてしまう。それゆえまた、実践的には、この資本主義的生産様式の超克が、たんなる私的所有の収奪、さらにはその私的所有を背後で支える国家権力の奪取に還元されてしまう。

こうした経済学批判の俗流化が二〇世紀の政治主義的な「マルクス主義」党派にとっていかに好都合だったかは明らかであろう。だが、このような変革構想はあらかじめ限界を運命づけられていた。私的労働が商品生産関係を生み出し、賃労働が資本を産出し、資本主義的生産関係を再生産し続けているとするならば、その根本的変革は政治権力による外的強制によっては不可能であり、社会運動と社会改良をつうじて生産のあり方そのものを変容させる長期的かつ根本的な努力が必要となる。マルクス自身も『資本論』の執筆やインターナショナルでの活動の経験をつうじて、改良闘争や生産者協同組合を重視するなど、より長期的な変革展望を抱くようになっていった。

†物質代謝論と晩期マルクスの思想

かつて丸山眞男が指摘したように、近代的思考様式が「マルクス主義」をつうじて導入された日本においては、「先進国」では例外的に「マルクス主義」がアカデミズムのなかで重要な位置を占めたこともあり、いまだに経済的形態規定を重視するマルクス理解は一般的ではない。しかし、欧米では一九七〇年代以降、資本主義が長期停滞に陥り、近代主義が左派のなかで後退していくなかで、そのような理解がすでにアクティヴィストやマルクス主義者のなかで大きな影響力をもつようになってきている。

だが、マルクスの経済学批判にはもう一つの重要な側面がある。形態分析のない「経済学」の欠陥は、形態規定と素材を癒着させることによって資本主義的生産様式の歴史的特殊性を把握することができないというだけではない。そのような癒着をつうじて素材の具体的論理を捨象してしまい、その性質を極めて抽象的にしか把握できなくなってしまうのである。このような「経済学」の限界は、例えば、古典派経済学の「収穫逓減法則」やミクロ経済学の「限界生産力逓減の法則」に端的に示されている。経済的形態規定の批判的分析こそが、形態とその担い手である素材を分離することによって、経済的諸関係においてこの素材がもつ意義をその性質に即して具体的に理解することを可能にするのである。

とりわけ近年、気候危機やパンデミック、バイオテクノロジーの暴走の危険性などが深刻化するなかで注目されているのが、「物質代謝」概念である。この言葉は、もともとは生理学において有機体の循環的な生命活動を表す概念であったが、マルクスは、これを転用し、人間と自然との物質的な循環を表す概念として使用した。『資本論』第一巻では、社会関係の形成を考えるうえで最も重要な活動である労働を「人間が自然とのその物質代謝を彼自身の行為によって媒介し、規制し、制御する一過程」として定義している。資本主義社会では、この物質代謝を制御するはずの労働が、賃労働という特殊な形態をとり、資本の価値増殖を目的として行われるために、逆に持続可能な物質代謝を攪乱してしまうのである。

このような観点に立つとき、共産主義は、たんに生産と分配を自覚的に制御し、人間の自由を実現するだけでなく、「アソーシエイトした人間たちが……この物質代謝を合理的に規制し……自分たちの人間性に最もふさわしく最も適合した諸条件のもとでこの物質代謝をおこなう」社会でもなければならない（『資本論』第三部主要草稿）。晩年のマルクスは、まさに以上のような物質代謝の合理的制御の可能性を展望するために、経済学研究をこえ、農芸化学、生理学、地質学、鉱物学、植物学、有機化学などの自然科学をも徹底的に研究した。

また、晩年のマルクスは、資本主義の解放的傾向を過大評価するきらいがあった初期の生産力主義的かつヨーロッパ中心主義的な見解から完全に脱却し、前近代ないし非西洋の共同体を高く評価し、それを積極的に変革構想に位置づけるようになった。マルクスは最晩年に書いたロシアの革命家ザスーリチ宛ての手紙の草稿において、ロシアの共同体の必然的な解体を否定し、それが継承した「原始的共同社会の生命力は、セム人、ギリシア人、ローマ人などの社会よりも、まして近代資本主義諸社会のそれよりも、比較にならないほど強かった」と述べている。

さらに、「現在、資本主義システムは西ヨーロッパにおいても、合衆国においても、科学とも、人民大衆とも、またこのシステムが生み出す生産諸力そのものとも、闘争状態にある」と述べ、資本主義にたいしては以前にもまして厳しい評価を下している。剰余価値の最大化を目的とする資本主義的生産様式は、人民大衆と対立しているばかりでなく、人間と自然との間の物質代謝を持続可能な仕方で制御するための科学とも対立しており、この意味で、合理的な生産力の発展に対立している。このような認識のもとに、マルクスは、農耕共同体を「ロシアにおける社会的再生の拠点」として位置づけたのである。晩期のマルクスは、かつての近代化論を撤回したというだけでなく、むしろ前近代的共同体の生命力と連携しつつ、資本の力を封じ込めていくという戦略に転換したとさえ言えるだろう。

さらに詳しく知るための参考文献

ジョルジュ・ルカーチ『歴史と階級意識　ルカーチ著作集9』（城塚登、古田光訳、白水社、一九六八年）……ほぼ一〇〇年前に刊行された著作でありながら、ドイツ観念論とマルクスの関係について最も的確に展開したものの一つ。また、ここで展開された物化論も非常に先駆的である。先入観に惑わされずに、第四章「物化とプロレタリアートの意識」を熟読してほしい。

有井行夫『マルクスはいかに考えたか――資本の現象学』（桜井書店、二〇一〇年）……入門書の体裁をとっているが、非常に難解な著作。しかし、読者がその「合理的核心」をつかみ出すことに成功すれば、マルクスとヘーゲルの関係について深い示唆を与えてくれるだろう。

佐々木隆治『マルクス　資本論』（角川選書、二〇一八年）……難解で知られる『資本論』第一巻の商品論を可能な限りかみ砕いて解説した。全体として読むことでマルクスの経済学批判がいかに完成度の高いものであったか理解できるはずである。原典から引用して解説するスタイルなのでリーダーとして活用することもできる。

斎藤幸平『大洪水の前に――マルクスと惑星の物質代謝』（堀之内出版、二〇一九年）……日本人初、史上最年少でドイッチャー記念賞を受賞したKohei Saito, *Karl Marx's Ecosocialism* (New York: Monthly Review Press. 2017) の日本語版。著作や草稿、手紙にとどまらず、マルクスの研究ノートまでをも渉猟し、晩期マルクスにおける物質代謝論の深まりを明らかにした画期的な著作である。

第5章 進化論と功利主義の道徳論

神崎宣次

1 人間の由来、道徳の起源

†ダーウィンの進化論と道徳の起源

地質学者チャールズ・ロバート・ダーウィン（一八〇九〜一八八二）は、『種の起源』などの著作で自然選択や性選択の理論を展開した。よく知られているとおり、ダーウィンの進化論は現在の生物学のみならず、遺伝的アルゴリズムなどの工学を含む幅広い分野に影響を及ぼしている。残念ながらその「幅広い影響」の中には、「適者生存」の誤った解釈に基づく優生学のように、明らかに社会的に好ましくないものも含まれている。

ところで、進化論そのものが「好ましくない」学説として扱われることもある。信仰と進化論が抵触する場合などである。たとえばアメリカ人の結構な割合が進化論を否定しているという調査結果が報告されている。アメリカでは、進化論は神による創造を否定するとして、学校教育において進化論を教えることを制限しようとする動きもあった。他方、近年のカトリックが表明してきたように、神による創造と進化論は矛盾しないという立場も可能である。ダーウィン自身はといえば、松永俊男によると、一八六六年に『種の起源』第四版を出版するまでに自然選択は神とは無関係な自然現象と考えるようになったという。

進化論によって示される人間と他の生物種、あるいは自然との間の連続性は、これらを扱う学問の連続性へとつながっていく。その連続性は道徳論あるいは倫理学にも到達する。『人間の由来』においてダーウィンは、人間と動物とを分ける最も重要な違いは道徳観念あるいは良心の存在だとしている。しかしながら「最も重要な違い」は、「よく発達した社会的本能を備えた動物ならば、どんな動物であれ、その知的能力が人間のそれに匹敵するほど発達すればすぐに、必然的に道徳観念または良心を獲得するだろう」という提言によって、すぐさま連続性に置き換えられているのである。また、この提言は「人間が持っている最高の精神的能力の一つに対して下等動物の研究がどこまで光を投げ掛けるかを確かめる」という研究方針を伴なっている。こうした方針は倫理学の生物学化、あるいは自然化と呼びうる傾向に含めることができるものだろう。

現在、倫理学の自然化を推し進めている学問領域はいくつかある。進化倫理学がその代表といえるだろう。また、脳神経科学や社会心理学の手法を用いた道徳判断の研究が、脳神経倫理学と呼ばれる分野の一部として行われている。たとえば、いわゆるトロッコ問題に関する人びとの判断についての研究が、この分野の研究のよく知られている例である。

道徳判断を含む推論能力、あるいは合理性といった人間の精神的能力を生物学的な基盤から説明しようとすることは、そうした能力が持つ一定の制約と傾向、つまり人間理性の有限性を示す側面を持つだろう。道徳の起源を進化論的に説明する場合も、進化の過程における偶然的な要因への適応として人間の道徳が作り上げられてきたのだと説明することになる。

†功利主義と直観主義

脳神経倫理学の代表的な研究者の一人であるジョシュア・グリーンは、意思決定には無意識の直観的反応と意識的に行われる合理的推論という二つのモードがあるという二重過程理論に基づいて、功利主義を擁護している。グリーンの議論を詳細に説明する余裕はないので、ここでは本章との関連に焦点を合せた非常におおざっぱな概要のみに留める。五人を救うために一人を犠牲にする選択肢に嫌悪を感じるといった直観的反応は、進化の過程において人類が小規模の集団内での生活への適応として獲得してきた道徳である。グリーンは各集団が獲得してきた道徳を常識的道徳とも呼ぶ。しかしながら過去の環境条件に適合しない状況や倫理問題、たとえば集団間でそれぞれの常識的道徳が対立するような状況は、常識的道徳では解決できない。そうした状況においては競合する常識的道徳を調停するために人類の共通基盤に基づくメタ道徳が要請されるが、それは関連する事実や証拠に基づきながら全体としての最善の結果（帰結）を検討する功利主義的な道徳になるだろう、というのがグリーンの主張である。

ところで功利主義と直観主義とを対比させる図式は現代に始まるわけではなく、倫理思想史上でも重要な構図であった。ここで言う直観主義には多様な立場が含まれるため簡単な定義を与えるのは難しいが、本章の目的のためには、児玉聡に従って「行為の帰結について考えるという過程を経なくても、行為を見ればすぐにその正しさあるいは不正さがわかるという考え方」と理解しておいてもらえば十分だろう。現在の倫理学において功利主義と図式的に対立させられているのはイマニュエル・カント的な立場を代表とする義務論と呼ばれる立場である。しかし功利主義と義務論という対立図式は二〇世紀に入ってから主流となったもので、それ以前に功利主義と対比されてきたのは直観主義であった。前述の児玉は、功利主義と直観主義の対立が思想史上で顕在化したのは一八世紀末にベンサムなどの功利主義者が活躍した頃としている。

†生き残ってきた思想としての功利主義

ここで功利主義そのものについてごく簡単に説明しておこう。ただし、この小節での功利主義の特徴づけはあくまで現在の観点からの整理であり、ベンサムなどが自身の立場を展開していた時点での理論上の関心などとは必ずしも合致しないことには注意してもらいたい。

まず、功利主義は現代の用語で言えば、帰結主義と呼ばれる立場に分類される。帰結主義については、「行為や政策に対する道徳的評価の過程において、対象となる行為や政策がもたらす帰結に関する情報のみを用いる」立場と定義できる。このように定義すると前述の直観主義との対比がわかりやすいだろう。また、義務や権利や意図などの帰結に関わらない情報は直接考慮されないという点で、五人を救うためであったとしても誰かを犠牲にすることは許されないとする義務論とも対立することがわかる。

次に功利主義は帰結が最大化される選択肢のみが道徳的に正しいとする最大化主義をとる立場でもある。この立場は最大幸福というフレーズにも表われているが、他の全ての選択肢と同等以上によい帰結をもつ選択肢だけが道徳的に正しく、そうでない選択肢は全て不正だとする主張には、過大な要求ではないかという批判が向けられることがある。しかしながら、最もよい結果をもたらす行為や政策が正しいという主張にはシンプルな説得力があり、それに反論するのは容易ではない。それに加えて、現代を代表する功利主義者ピーター・シンガー（一九四六〜）が実践的な問題解決を論じる際にしばしば戦略的に提案しているように、状況を少しだけしか改善しない行為や政策でも、それらがもたらす帰結や波及効果を積み重ねていくことでいずれ最もよい結果に辿りつくと期待できるなら、当面はそれでよしとする柔軟性を功利主義者が受けいれる余地もある。

第三に、功利主義は全体の最大幸福を追求するが、ここでいう「全体の最大幸福」は行為や政策によって影響を受ける全ての個人に結果として生じる幸福の増減を加算したものとされる。このとき各人の幸福は平等な重みで扱われ、特定の個人の幸福が特別視されることはないという点で、功利主義は平等主義的であるともいわれる。

第四に、以上のような特徴から功利主義は慣習的に義務や道徳的に正しいとされてきたことをそのままでは受けいれず、最大幸福という観点からそれらを批判し、変更を求めることがある。この点で功利主義は改革主義的な面を有している。実際、後の節で説明するベンサムやミルは、同性愛者や女性が伝統的に置かれてきた地位などの問題に取り組んだのである。

改革主義的な側面によって功利主義は、人間社会の進歩に間違いなく貢献してきた一方で、道徳的に重要とされてきた価値を踏みにじる場合があるという非難も浴びてきた。五人を救うためには一人を犠牲にすることもやむなしとするように、最大の帰結を実現するためには人権や平等すら犠牲にしかねない、非道な立場だというのである。実際、広い意味で倫理学の領域に属する研究者でも、功利主義に対する嫌悪を口にする人がいる。

たしかに功利主義は、少数者の重大な利益を多数者の重大な利益のために犠牲にすべきだと主張する可能性を理論上排除しない立場ではある。だが、そうした批判者たちは、たとえばベンサムが生存、豊富、安全、平等という功利性の四つの副次的目標を重視していたことを見落としている。

もちろん功利主義は批判の余地のない立場ではない。しかしながらすでに述べたように、簡単には反駁できない説得力を備え、ベンサムから数えても二〇〇年以上、さまざまな観点からの批判や吟味に耐え、今日まで有力な道徳論として生き残ってきた立場でもあることを、たとえ功利主義が気にくわなくても忘れてはいけない。

実際、功利主義は現在でも真剣な検討の対象とみなされ続けている。たとえば、動物倫理、海外支援、人口論など、現代の実践的課題に関する議論にもコミットしている。本章の残りで扱うベンサムとミルの思想についても、たとえばベンサムの言語論に焦点を置いたものなどの研究書、ミルの重要な著作『論理学体系』の新訳、両者に関する海外の研究書の翻訳など、日本語で読める研究成果が高度に専門的なレベルのものから、本章とそれらとの中間のレベルのものまで、積み重ねられている。それらを読むことによって、彼らの功利主義についてより深い理解を得ることができるだろう。本章の残りでは読者がこれらの文献に挑戦する準備ができるよう、ベンサムとミルの功利主義に関する議論の要点を抜き出して説明しよう。

2　ベンサムの功利主義

†ジェレミー・ベンサム

ジェレミー・ベンサム（一七四八〜一八三二）はロンドンに生まれ、一二歳で父親によってオックスフォード大学に入れられ、そこで法律を学んだ。その後、法曹界には進まず、法律や社会の改革についての執筆を行った。一七八〇年に完成し、その九年後に出版された『道徳および立法の諸原理序説』（以下では『序説』と略す）で、体系的に功利主義理論を展開した。功利主義者として以外にも、一望監視装置とも訳される刑務所などの施設「パノプティコン」の提言や、自分の死後に遺体を「オート・イコン」として保存・展示するよう指示し、それが後にユニバーシティ・カレッジ・ロンドンで公開されることになったことなども広く知られている。

†功利性の原理

ベンサムは『序説』での功利性の原理についての論述を「自然は人類を苦痛と快楽という、二人の主権者の支配のもとにおいてきた。われわれが何をしなければならないかということを指示し、またわれわれが何をするであろうかということを決定するのは、ただ苦痛と快楽だけである」という記述から始めている。ここでは、われわれの行動がどのように決定されているかという心理学的事実に関わる問題と、われわれがどのように行動しなければならないかという規範に関わる問題が、苦痛と快楽によって結びつけられている。しかしながら、これらは性質の異なる問題のはずである。個々人の快楽と苦痛によってわれわれ各人の行動が動機づけられているとするならば、個人的な快楽や幸福ではなく、最大多数の最大幸福を追求すべきという功利主義を道徳規範として受けいれるのは、難しいはずである。ベンサムが両者をどのように結びつけようとしたのかを見るために、もう少し先までベンサムの議論を確認していこう。

まずすでに述べた幸福の加算を功利計算と呼ぼう。そして、ある行為や政策に関連する功利計算において、その幸福の増減が考慮に入れられ、加算の対象とされる個人を当事者としよう。説明の都合のため、以下での用語の説明の順番は『序説』での順序とは一致していない。

功利性は、行為や政策が持つ性質で、当事者に対して利益や快楽や幸福など（これらは同一視される）を生みだしたり、危害や苦痛や不幸など（これらも同一視してよい）が生じることを防止したりする傾向を持つ性質であるとされる。

功利性の原理は、ある行為や政策が当事者全体の幸福を増大させる傾向を持つ場合に是認し、減少させる場合に否認するという原理である。ある行為や政策が持つ、当事者全体の幸福を増大させる傾向が減少させる傾向よりも大きい場合、功利性の原理に適合していると言う。そして、功利性の原理に適合している行為や政策はいつでも、しなければならない、あるいは正しいもの——少なくとも、してはならないものではない——とされる。このようにして功利性の原理は行為や政策の正・不正の普遍的な判定基準であると主張されることになる。

困ったことにベンサムによれば、この主張には何の証明もないだけでなく、そのような証明は不必要であるし、不可能でもある。功利性の原理は他の全てのことを証明するための出発点となる原理なのであって、それ自体の正しさは他のものによって証明されることはないというのである。

証明の代わりにベンサムは、もっと間接的なやり方で功利主義を正当化しようと試みている。まず彼は、どんな人であっても、自分や他人の行為を検討する際、たいていの場合は功利性の原理に従っているはずであり、したがってこの原理を受けいれているのだと主張する。次に、功利性の原理が気にいらない人びとに対して、功利性の原理を受けいれないとすればどうなるか考えてみよという一連の問いを向けている。これらについて考えていけば必然的に功利主義以外の立場は受けいれられないという結論に辿りつくはずだとベンサムは期待している。

その最後の問いは、功利性の原理以外の原理をとる人は、その原理の命令を追求するために人間が持つことのできる動機があるかを自問してみよ、というものである。しかしながらラザリ＝ラデクとシンガーの著作でも指摘されているが、この問いはこの小節のはじめの段落で述べたように、ベンサム自身の功利性の原理にも向けられる問いなのである。

『序説』におけるベンサムは快楽と苦痛、それらの源泉であるサンクション（制裁）を行為や政策の基準に動機づけを与えるものとして論じているのであるが、これもまた、正・不正の基準としての功利性の原理の正当化に直接つながる議論とはいえないだろう。なお次節で扱うミルも、彼のよく知られている議論によってこの問いに答えようとしている。

†対立する原理の反駁

間接的な正当化として、ベンサムは功利性の原理に対立する二つの原理、すなわち禁欲の原理と、共感と反感の原理の両方を反駁しようともしている。禁欲主義の原理は、功利性の原理と同様に当事者の幸福を増大させるか、減少させるかによって行為を是認したり否認したりするが、功利性の原理とは反対に幸福を減少させる場合に是認し、増加させる場合に否認するという立場である。ベンサムは、このような立場は根本のところで功利性の原理の錯乱した適用にすぎず、個人の行為規範としては受けいれられることがあるにせよ、社会統治に対して徹底して適用されたことはない、として退けている。

共感と反感の原理は、ある場合には功利性の原理と対立し、ある場合には対立しない立場とされる。ベンサムによれば、功利性の原理に反する諸原理のうちでも、統治の問題に最大の影響を与えているように思われるものであり、「単にある人がその行為を是認または否認したいと思うゆえに、是認または否認し、その是認や否認をそれ自体として十分な理由であると考えて、なんらかの外部的な理由を探し求める必要を否定するような原理」と説明されている。ここで、この説明が第一節で示した、「行為の帰結について考えるという過程を経なくても、行為を見ればすぐにその正しさあるいは不正さがわかるという考え方」という直観主義の簡易な定義と合致することに注意してもらいたい。外部的な理由、すなわち行為の帰結という根拠を検討せずに道徳判断を下してしまう独断的な立場として、ベンサムは共感と反感の原理（そして直観主義）を批判しているのである。そして、道徳の基準についてのさまざまな思想は共感と反感の原理に還元できるとして、シャフツベリやハチソンやヒュームといった道徳思想家たちや自然法を持ち出してくる人びとなどの立場を次々と挙げていくのである。

†功利計算の手続

ところでベンサムは後に功利性の原理に対して、最大幸福の原理などの言い換えを提出している。この言い換えの理由は、功利性という用語は幸福ほど快楽や苦痛との関連を表わさないし、また正・不正の基準としての原理に大きく寄与する当事者の人数という要因を示すためと説明されている。

では功利性の原理に基づく正・不正の判断をもたらす功利計算はどのように行われるのだろうか。ベンサムはそれをアルゴリズムのような手続として述べている。単純化して説明すれば、各当事者について快楽と苦痛をそれぞれ加算し、その差し引きを求める。それを当事者全員について繰り返し、その結果を集計するという手続になっている。

ここで、ミルとは違いベンサムは快楽と苦痛の大小のみを論じて、それらの質は区別しない、という一般的な理解について読者の注意を引いておきたい。実際にはベンサムは、各当事者の快楽や苦痛の大小に関わる条件としてではあるが、その快楽や苦痛の強さ、持続性、確実性、遠近性、多産性、純粋性といった要因を功利計算の手続に組み込んでいるのである。

3 ミルの功利主義

†ジョン・スチュアート・ミル

ジョン・スチュアート・ミル（一八〇六〜一八七三）は、ロンドンに生まれ、自宅で父親から教育を受けた。父のジェームズ・ミルはベンサムの友人であり、その思想の普及者でもあった。

彼は三歳からギリシア語を、八歳からラテン語を学び、一三歳のときには当時出版されたリカードの『経済学および課税の原理』を読んだ。そのほかにも彼は歴史、数学、論理学なども学んだ。そして一四歳のときには、ベンサムの弟サミュエルの招きで一年間フランスに滞在するという経験もしている。フランスからの帰国後には、ベンサムの『民事および刑事立法論』を読んだ。そのことによって自分は別の人間になったと後に述べるほど、ベンサムの影響を受ける。一七歳のときに、父も勤務していた東インド会社に就職し、会社がインド統治権を失った一八五八年まで勤務した。一八二六年の秋に深刻な精神の危機に陥ったが、マルモンテルの『回想録』を読んだことをきっかけにその危機を脱した。この危機の克服によって、彼は父とベンサムの圧倒的影響からも脱することになる。一八三〇年にハリエット・テイラーに出会い、彼女の夫が死んだ二年後の一八五一年に二人は結婚した。ハリエットはミルの思想に大きな影響を与えたと言われている。

著作としては、一八五九年に刊行された『自由論』のほか、『論理学体系』(一八四三年)、『経済学原理』(一八四八年)、『女性の隷従』(一八六九年)がある。『功利主義』は一八六一年に発表された。

†ミルから見たベンサム

ミルがベンサムの強い影響を受け、後にその影響から脱して自らの功利主義思想を展開していることを考えると、ミルがベンサムの思想をどう考えていたかを確認することから始めるのがよいだろう。そこでこの小節では、一八三八年の論考「ベンサム」の内容を簡単に見ていきたい。

ミルはまずベンサムをイングランド改革の父として称揚した後に、その哲学への貢献は彼の見解ではなく、彼が用いた方法にあると指摘している。たとえば、功利性を道徳の基礎とする理論に特に新奇性はない。ベンサム自身がその考えをヒュームやエルヴェシウスから得ていると述べているし、「どの時代の哲学においても、一つの学派は功利主義的なものであった」のである。ベンサムの貢献については以下のように述べられている。

彼は科学という観念にとって本質的な思考習慣と研究方法を道徳論や政治学に取り入れた。……見解それ自体についてはたしかにその大部分を退けなければならないし、たとえその全体を退けることになるとしても、彼の方法はかけがえのない価値をもっている。

では、かけがえのない価値を持つとされる、ベンサムの方法とはどのようなものだろうか。ミルはそれは細分法と呼ぶことができるものだと言う。問題を解こうとする前に、全体を部分に分割し、抽象的概念を事物に還元して取り扱う、という方法である。ここでミルは、自然科学の方法やベイコン、ホッブズ、ロックの名前を挙げることによって、方法それ自体から、ベンサムがこの方法を適用した主題と、この方法の厳格な適用へと、ベンサムの独創性についての強調点を移している。

ベンサムはこの方法を倫理学や政治学に適用し、それらの分野で用いられている推論が多くの場合に成句（決まり文句）に行きつくと考えた。そうした成句の例は自由、社会秩序、自然法、社会契約などである。共感と反感の原理について説明した段落で言及した、ベンサムによって列挙されている論者たちはまさにこうした成句を議論において用いているとみなされた人びとである。そうした議論を見るたびに、ベンサムは「それが何を意味しているのか、それは何らかの基準に訴えかけているのか、それとも当該の問題に関係している何らかの事実問題を暗示しているのかを知ることに固執し」、それらが見いだされないときには「論者が根拠を示すことなしに自らの個人的な感情を他の人びとに押しつけようとしている」とみなした。

ミルはこのような態度をベンサムの欠点でもあると考えている。ベンサムは自分自身の手持ちの材料で体系的な思想を構築していく能力には恵まれていたが、自分のもの以外の思想についての正確な知識を持っておらず、ソクラテスやプラトンさえ正当に評価できずに軽蔑していたという。これに加えて、ミルはベンサムの第二の欠点として、感情や精神といった人間本性を理解する能力が欠如していたとしている。

ベンサムの功利主義への言及は、この論考の終わりの方で行われている。功利性の原理についてはベンサムとほとんど同じ意見であるとして、「行為の道徳性はそれが生み出す傾向にある帰結によって左右され」、「こうした帰結の善悪はもっぱら快楽と苦痛によって判定される」としている。

しかしながら、ここでもミルはベンサムの問題点と彼が考えるものを二つ指摘している。まず、前段落で述べた欠点のために、性格形成や行為が行為者自身の精神構造に与える影響について、ベンサムは理解していなかったという。次に、ベンサムは道徳的観点を行為や性格を観察する唯一の仕方と考えていたが、ミルは人間の行為には道徳的側面、審美的側面、共感的側面の三つがあり、それぞれ行為の正・不正、行為の美しさ、行為の愛らしさに関わるとしている。

†『功利主義』における議論

次に、ミル自身の功利主義論を見ていこう。まず第一章では直観主義に触れられている。「道徳の原理は先験的に明らかであり、言葉の意味が理解されさえすれば、それ以外にはいかなる承認も必要とされない」立場として直観主義を規定した上で、それと対比される立場では、正・不正に関する問題は観察と経験に関わる問題であると述べている。そして先験的道徳論者の例としてカントに言及して、彼の立場ですら行為の帰結の望ましさに関わっていると論じている。

第二章で、功利性とは快楽と、苦痛の回避に他ならないと述べられる。そして功利性の原理もしくは最大幸福原理を道徳の基礎として承認する理論、すなわち功利主義では「行為はそれが幸福を増進させる傾向に比例して正しく、幸福と反対のことを生み出す傾向に比例して不正である」ことが確認される。

その後で、快楽の質に関する議論が行われている。ミルのフレーズとして広く知られているが、正確に引用されることは少ない箇所を引用すると、「満足した豚よりも不満を抱えた人間の方がよく、満足した愚かものよりも不満を抱えたソクラテスの方がよい。愚か者や豚がこれと異なった考えをもっているとしたら、それは愚か者や豚がこの論点に関して自分たちの側のことしか知らないからである。比較されている相手方は両方の側を知っている」。この箇所について二点述べておく必要がある。まず、豚とソクラテスは比較されていない。次に、人間とソクラテスは、それぞれ豚や愚か者の快楽のことも知っているがゆえに、量的には少なくても質的に高い快楽を選んでいるとされる点である。二つの快楽の質の高低は両方の経験者によって判断されることになる。

ベンサムを扱った節で功利性の原理の正当化という問題について確認した。ミルはこの問題についてどう考えていたのだろうか。まずミルはベンサムと同様に、一般的な意味での証明の余地はないと述べている。その代わりに、幸福が唯一の目的として望ましいものであるという功利主義の主張に説得力を与えようと試みている。しかしながらミルが提出している議論は不満足なものにすぎない。

まず彼は望ましさの証明を、見えるということの証拠との類比で説明しようとする。つまり、ある物が見えるということの証拠は人びとが実際にそれを見ているということ以外にないのだから、何かが望ましいということについて提出できる証明は、人びとがそれを実際に望んでいるということしかない。そして人びとは実際に幸福を望んでいるだろう、というのである。これは受けいれられる議論ではないだろう。

これに続く議論も疑わしい。功利主義を擁護するには、幸福が望ましいというだけではなく、当事者全体の最大幸福が望ましいことも示す必要がある。ミルは各人の幸福が当人にとって望ましいということから、全体の幸福はすべての人の総体にとって望ましいという主張への移行が可能だと述べているが、これもそのまま受けいれることはできない主張である。ラザリ＝ラデクとシンガーが苦言を呈しているように、「可能なかぎり寛大な読み方をしたとしても、ミルの書き方は散漫で、その意味するところはしばしば不明確」なのである。

4　おわりに

本章で確認したように、ベンサムもミルも道徳の第一原理としての功利性の正当化に証明を与えていないし、そもそも直接的な証明が与えられるようなものではないとしている。彼らが示している間接的な議論も満足のいくものとは言えない。他方で、当事者全体の最大幸福が正・不正の基準であるという主張には、ある程度の直観的な説得力があるように思われる。しかしそれは義務論などの他の道徳論も同様である。では、どういう議論が考えられるか。

案の一つは、ダーウィンやグリーンのように、進化論的・生物学な基盤という、より下位のレイヤーを道徳論に挿入し、そこから道徳の第一原理を検討するという方針だろう。こうした方向性の研究がどれだけ成功するかはわからないが、少なくとも、有限な人間にフィットした道徳論を求めることになるのは間違いない。

＊本文中のダーウィンの引用は、長谷川眞理子訳『人間の由来 上』（講談社学術文庫、二〇一六年）から行っている。ベンサムの引用は、関嘉彦責任編集『ベンサム J.S.ミル』（中央公論社、第七版、一九九七年）からのものである。

さらに詳しく知るための参考文献

松永俊男『チャールズ・ダーウィンの生涯――進化論を生んだジェントルマンの社会』(朝日新聞出版、二〇〇九年)……ダーウィンの思想の背景を知るために入手しやすく、比較的読みやすい本。

カタジナ・デ・ラザリ＝ラデク、ピーター・シンガー『功利主義とは何か』(森村進・森村たまき訳、岩波書店、二〇一八年)……現代を代表する功利主義者であるシンガーを著者の一人とする入門書。ベンサムやミルの立場はもちろん、今日における功利主義の有用性やグリーンの議論など、功利主義に関連する話題全般を知ることができる。ただしグリーンの議論については紹介をコンパクトにしすぎているため、本人の著作の邦訳を読んだ方がわかりやすいかもしれない。

児玉聡『功利と直観――英米倫理思想史入門』(勁草書房、二〇一〇年)……功利主義と直観主義との対立について、ベンサムやミルによる直観主義への批判を含めた思想史、および現代的話題の二つの観点から論じている。またグリーンの議論はこの本の最後の章でも扱われている。

フィリップ・スコフィールド『ベンサム――功利主義入門』(川名雄一郎・小畑俊太郎訳、慶應義塾大学出版会、二〇一三年)……ベンサムの思想について自分で検討してみようという際に、よい手引きとなりうる本。巻末の読書案内と小畑氏による訳者解説にも目を通してもらいたい。

J・S・ミル『功利主義論集』(川名雄一郎・山本圭一郎訳、京都大学学術出版会、二〇一〇年)……本章第三節で扱っている「ベンサム」、「功利主義」が収められている。本文中のミルの引用はこれらから。また、巻末の解説も有益である。

コラム3 スペンサーと社会進化論

横山輝雄

　ハーバート・スペンサー（一八二〇〜一九〇三）は社会進化論の代表者として知られている。「社会進化論」あるいは「社会ダーウィニズム」というと、ダーウィンの生物進化論をうけて、それを人間や社会に「適用」あるいは「拡張」したものと思われている。スペンサーの存命中すでにそうした理解があったようで、自分はダーウィンより前から独自に進化論を主張していたと晩年の著作で述べている。ダーウィンの『種の起源』（一八五九年）以前から、ラマルクの進化論などさまざまな進化論があった。スペンサーの進化論は、ラマルク的な発達・発展の進化論であり「進化＝進歩」である。日本語の「進化」は明治期にスペンサー的な進化理解によったものであり、現在でも日常的には進歩と混同されることが多いが、それは自然選択を基本とするダーウィンの進化論とは論理の根本が異なった別のものである。

　スペンサーは、生物だけでなく人間・社会・文化が進歩発展するとし、それをさまざまな領域で示そうと大部の著作を残し、当時形成途上にあった考古学・人類学などに大きな影響を与え、またそれは西欧の白人文化を頂点とする文化の序列化や人種の優劣論などとつながった。

スペンサーの社会進化論・文化進化論の大図式は、都合のよい事実だけを恣意的につなげたものにすぎないと批判され、二〇世紀に入ると人類学では文化相対主義が有力になり単線的な発展図式で多様な文化を序列化することは否定された。さらに、人種優劣論や優生学などがとりわけ第二次大戦後糾弾されると、社会進化論は過去の誤りとして葬り去られた。スペンサーは一九世紀後半には、明治期の日本を含め大思想家とされていたが、二〇世紀になるとしだいに評価が低くなり、ダーウィンの亜流、通俗家であり議論もいいかげんとの評価が定着した。ダーウィンの進化論はきちんとした科学であるが、スペンサーの社会進化論は単なるイデオロギーにすぎないとされた。人文社会科学に生物学など自然科学的なものを持ち込むことがタブーとなったことがその背景にあった。

ところが、一九七〇年代以降、生命科学の時代になると状況が変わった。エドワード・O・ウィルソンの『社会生物学』(一九七五年)以降、生物学的な知見から人間や文化を論ずることが積極的になされるようになり、人類学や考古学で再び進化論的な議論が登場し、自然主義的人間観もひろがってきた。しかし、そうした議論は、悪いイメージを付与された社会進化論の復活とみなされることに警戒的であり、自分たちは科学としてのダーウィン進化論の正統な後継者であり、社会進化論とは関係ないと主張している。

第6章

数学と論理学の革命

原田雅樹

1 はじめに

†数学と哲学

一九世紀西洋において、数学に大きな変化が生じ、それを契機として論理学も変容を遂げた。二〇世紀の哲学の一つの分野として、科学哲学や分析哲学が大きく発展したが、その要因の一つに、一九世紀の数学や論理学において革命とも呼ばれうる出来事があったことは疑いがない。その出来事は、一般には幾何学における非ユークリッド幾何学とその一般化としてリーマンによって導入された微分幾何学の登場や、集合論における無限論の展開、さらには集合論を基礎にした形式論理学の体系化として理解されることが多い。これらがなぜ「革命」的かといえば、これらによって、一九世紀前半には最も正統的な哲学的理解とされていた、カントの数学に関する説明が、根柢から覆されたからである。

カントは『純粋理性批判』を代表作とするその理論的理性の分析において、論理学の命題をア・プリオリな（あらゆる経験に先んずる）分析判断（トートロジー的判断）とする一方で、幾何学と算術の諸命題をそれぞれ空間と時間についての直観において機能する、ア・プリオリな総合的な判断の命題（単なるトートロジーでない命題）であるとした。しかし、非ユークリッド幾何学の誕生は、直観において与えられる幾何学的空間の唯一性を否定することになった。

また、集合論にもとづく形式論理学の体系化は、論理学と数学の連続性を主張することによって、総合判断としての算術の命題の特異性を否定することになった。フレーゲからラッセルへと受け継がれた論理主義においては、数学の命題をすべて論理学の命題へと還元することが目指され、結果としてア・プリオリな総合判断としての数学的真理という論理学に対する独自性は全面的に否定された。西洋の一九世紀における数学の革命的な変化については、このように、カント哲学との大きな断絶という形で語られることが多いが、本章では同じくカントの思想を基本的な参照項としつつも、異なる仕方で、一九世紀から二〇世紀初頭にかけての数学的思考の道筋を跡付けてみたい。

ラッセルの哲学の批判的分析や、ポアンカレの科学哲学の解説でも知られるフランス・エピステモロジーの代表的哲学者ジュール・ヴュイユマン（一九二〇～二〇〇一）は、著書『代数学の哲学』で、フィヒテの哲学が感性という受動性にまつわるカント哲学の困難を克服し、有限な自我の操作そのものによって概念を構成する方法を見出した点に着目する。そして彼は、フィヒテ哲学のこの思想的革新が、ラグランジュからガロアに至る代数方程式論に由来する群論の誕生において、具体的な形で実現されていることを跡付ける。ヴュイユマンはさらにガロア理論の微分方程式論への拡張を目指す中で誕生した連続群としてのリー群、そしてそれら群による幾何学の再構築が、関係そのもの、つまり「構造」を顕在化させようとする、構造的思考の産物であることを明らかにしている。ヴュイユマンの解釈は、カントとの決定的断絶を謳う一般の理解とは異なって、むしろ哲学内部でのカント哲学の方法論的転換が、結果的に、数学の進展を可能にしたと考える。そして、特にカントからフィヒテへと向かう哲学的進展とパラレルな思考の推進が、数学内部における「具体的抽象化」の進展を促したことに注目する。これらの解釈は、哲学的反省と数学の深化の同型性を示している点で、きわめて興味深い見方である。

†一九世紀の数学

以上のような観点から、本章ではまずヴュイユマンの思索に沿う形で、数学史と関連する限りでのカントとフィヒテの思想を簡単に紹介する。その後に、一七七〇年のラグランジュの

『方程式の代数的解法についての省察』から一八七〇年代のクラインの「エルランゲン・プログラム」やリー群の誕生に至る間における群論の誕生とその展開を辿る。その中で、数学における抽象化の過程と理論的深化、具体的な場へのその理論の広がりとは何かについて考えていく。

①代数方程式についての反省から誕生した群の概念について

五次以上の代数方程式に、代数的な一般解を与えることができるのか、できないのか。もしもできないとしたら、その理由は何なのだろう。以下ではまず、この問題を中心にして展開された、ラグランジュから、ガウス、アーベルを経て、ガロア理論の誕生に至るまでの代数方程式論の歴史を概観する。特に注目されるのは、ガウスの幾何学的直観を乗り越えながら、群という代数概念を明確に生み出すことによって成し遂げられたガロアによる五次以上の代数方程式には代数的一般解が存在しないことの証明の哲学的意味である。

②リーマン面の誕生とその厳密化

次に問題にするのは、多価の解析関数を幾何学的描像によって理解するために考案されたリーマン面の考え方である。ここで、注意されるべきことは、まず関数についてのリーマンが幾何学的直観によって豊饒な数学概念を生成するリーマン面という場を生み出したということである。二つ目は、リーマンの後、ワイエルシュトラスとデデキントによって、リーマン面に見出される幾何学的な直観を排して、解析学と代数学による概念の厳密化を可能にする記号的構成によってリーマン面の再構成がなされたということである。三つ目は、リーマン面の代数学的再構成が可能にした代数関数論が数概念の再構成を促したということである。

③群の微分方程式論と幾何学への広がり

最後に、代数方程式論を通して誕生したガロア理論を微分方程式論に応用する試みの中で生まれたリーの連続群論、群論を幾何学へと広げる試みとしてのクラインの「エルランゲン・プログラム」を紹介する。そしてまた、関数を不変にする保型変換のような変数変換や微分方程式論と群論との関係についてのリーマン面という幾何学的描像を通しての理解を紹介する。そこでは、新たに誕生した代数学と解析学によって数学概念を厳密化し、そこにある構造を明確化するという過程を経て、幾何学が再構成されていくのである。

一九世紀の西洋における数学史を辿る中で、重要なことは、個々の術語の厳密な意味ではなく、様々な概念が最初の形成後にどのような仕方で複数の領域へと伝わり、より洗練されたものとなる一方で、新たな具体例を生み出してきたのかという点にある。そして、これらの構造を顕わにする抽象へと向かう概念形成のスタイルが、カントからフィヒテへの哲学的変換との類似性を含みつつも、それにとどまらず、数的、幾何学的な直観に常に引き戻されながら、その具体性とも繫がる直観が豊かな概念を生み出していくという哲学史的問題にも注意を払いたい。この章での話の中心は、哲学史と関連した文脈において語られることの多い微分幾何学や、集合論や論理学ではなく、その根源にあると考えられる群や対称性、そして複素関数の幾何学的描像としてのリーマン面をめぐる数学の概念史とそれにまつわる哲学的問題である。

2 カントからフィヒテへ

†カントの数学論

よく知られているように、カント（一七二四～一八〇四）の哲学体系は様々な二元論を含んでいる。それは、自然科学の構成に関わる理論的な純粋理性と道徳に関わる実践理性、そして、純粋理性の関わる現象世界と実践理性の関わる物自体の世界、さらに、純粋理性の枠内における悟性と感性（知性と感覚についてのカント的用語）などの二元論である。純粋理性の領域においては、現象が感性の直観に多様に与えられ、悟性がそれをカテゴリーによって統制する。悟性のカテゴリーと感性の直観という二つの形式を媒介するのは、カント的な特殊用語であるが、

〈図式〉における生産的構想力の役割である。カントの著書『純粋理性批判』は、ニュートン物理学がどうして正当化できるかという問題も射程においており、悟性と感性の媒介項である図式において物理学に適用可能な数学が構成されるとする。

　カントは、人間の知性が感覚の助けなしに科学的知を直観的に得ることは不可能であると考える。そして、物事を直接把握する直観の場は感性、経験に先んじて人間の主体に与えられている概念の場は悟性として定められる。その感性と悟性の双方によって物理学を始めとする学知が成立するのだが、概念を直接に直観に適用することはできない。そこで、個々のものでも原理的な普遍でもないその中間ともいえる一般に関わる図式が、感性と悟性、ないし直観と概念を媒介する場となるのである。この図式において物理学に適用可能な数学が生成されるのであるが、それは、図式が純粋概念（純粋とは感覚的なものが入り込まないこと）を直観化、すなわち感覚的なものを受容できるようにし、数学に関わる概念を構成するための規則や推論規則を適用するからである。

　カントにおいて時間と空間とは、通常私たちが考えるような諸々の出来事の生じる〈世界〉の時間と空間ではない。それは、現象が与えられる場としての主体の側が保持する形式としての時間と空間である。心的現象が内的感覚を通して与えられる場が時間であり、物理現象が外的感覚を通して与えられる場が空間である。カントはこのような時間と空間を〈直観の純粋形式〉と呼ぶ。

数学概念の構成において、直観の純粋形式である空間と時間は、感性と悟性を媒介する純粋形象化と図式化（例えば三角形一般の形象・イメージを生み出すこと）に対していかに関わっているのか。幾何学や算術といった数学において、数学的概念が構成されるのは、悟性に由来する概念が、生産的構想力によって産出される図式の媒介を通して、純粋直観化されることによってである。生産的構想力は、時間において、根源的に概念を構成する規則を直観に対して適用し、直観を図式化する。そして図式は、悟性のカテゴリーに由来する規則を適用しながら悟性と感性をつなげるだけでなく、やはりそれを源泉とする純粋概念を対象に結びつけるためにも必要なものなのである。

それでは、幾何学と算術の違いは何なのか。幾何学的図形も数概念も、時間において諸規則が適用されることで構成される。その上で、幾何学的図形については、空間における形象化が付加される。それに対し、数概念においては幾何学と異なり形象が産出されることは必要とされない。

以上のように、幾何学や算術において数学的対象が構成されるわけだが、このような対象の構成をカントは〈直示的構成〉と呼ぶ。それに対して、代数学におけるような〈記号的（シンボリックな）構成〉という構成もあるとカントは言う。算術においてその操作は、必ず新しい対象の産出を必要とするが、代数学は対象を産出することなしに記号的な操作を主題化する。代数学の対象は関係的構造を満足するものならばいかなるものであってもよい。代数学を可能にする直観形式は、外的感覚に関わる直観の純粋形式としての空間から純化された、純粋に内的感覚に関わる直観形式としての時間である。代数学は算術以上に空間から純化されたものなのである。代数的概念は、ア・プリオリな純粋な生産的構想力が顕わにされる形で、時間において純粋な諸規則が適用されることで構成される。

†フィヒテの『全知識学の基礎』

さて、カントより四〇歳ほど年下のフィヒテ（一七六二～一八一四）はカント哲学内部に生じた様々な困難を克服することを自らの使命と考えた哲学者である。彼はそのことを成し遂げるために、カント哲学に内在する二元論を除去することを目指した。カントは現象の世界と人間の自由な行為が関わる〈物自体〉の世界とを分け、悟性と感性とを分け、さらに直観の純粋形式を外的感覚に関わる空間と内的感覚に関わる時間とに分けた。フィヒテはこのようなカントの哲学体系を批判し、カント的〈物自体〉を取り除いて行為を自我の存在に取り込み、悟性を感性から、時間を空間から純化する意識の運動を考えたのである。

そのために、フィヒテは、感性の受動性から解放された知的直観を考え、構成の固有の方法のために感性を必要としない理性の純粋活動を目指す。彼は、カントのように生産的構想力による純粋直観の図式化を感性と悟性の媒介として考えるのではなく、生産的構想力が反立したものの総合を引き起こしながら、有限な自我の操作そのものによって概念が構成されると考える。

フィヒテは、代表作である『全知識学の基礎』において、カントの哲学体系を辿りなおすことから始め、様々な弁証法を経て、純粋自我における根源的な反省、それよりもさらに上位の哲学的反省に至る。フィヒテにとって、純粋自我とは、捨象されうるものすべてを捨象することによって自我を限定する能動性のことであり、その判断の対象は捨象され得る対象となる。このように自我が対象を捨象することが、根源的な反省から上位の哲学的反省への移行を引き起こし、そこに自由が自己発生・自己生成する。また、その過程で概念が具体化することで直観も知的になり、概念と直観とが一致するようになる。このような活動自身こそが純粋自我の存在なのである。

3 代数方程式論からガロア理論へ

†ラグランジュからガウス、アーベルを経てガロアへ

J－L・ラグランジュ（一七三六～一八一三）以前に、四次以下の代数方程式の代数的な一般解、すなわち加減乗除と冪根によって表現される解の公式は見つかっていたが、五次以上の代数方程式については見つかっていなかった。ラグランジュも同様に五次以上の代数方程式の代数的な一般解を見つけることに成功しなかったが、彼は、四次以下の方程式の解法を分析し、なぜ五次以上の方程式でそれがうまくいかないかを考えた。その結果、解の入れ替えによる対称性に方程式の解法の本質があることを見抜いた。ラグランジュの代数方程式の理論は『方程式の代数的解法についての省察』（一七七〇）という著作の中で展開されている。

この著作の第一のプロセスでは、与えられた代数方程式から出発して、その解を探そうとするのに対し、第二のプロセスでは、与えられた解から出発してその解を持つような代数方程式を探す。第三のプロセスでは、解の入れ替えによる対称性を探究することによって、代数方程式の代数的な一般解が求められる仕組みを顕わにする。すなわち、第一、第二のプロセスにおいて、代数方程式という対象が扱われているのに対し、第三のプロセスでは、それが捨象され、解の入れ替えという操作による対称性自身を主題化する方向に向かうのである。

代数方式の代数的な一般解が探される中で、n次代数方程式は重複を含めてn個の解を複素

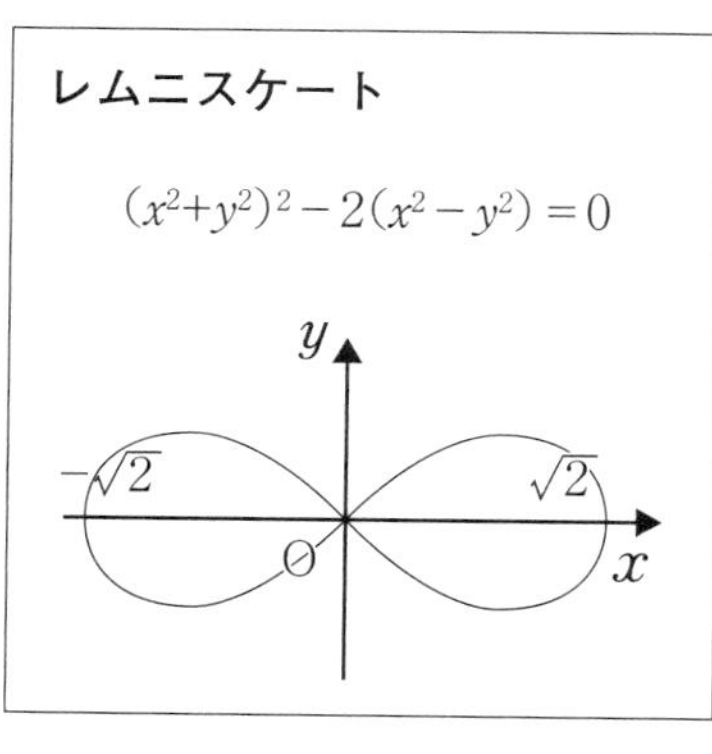

数の中に持つことがガウスによって証明された。C・F・ガウス（一七七七〜一八五五）は著書『アリトメチカ研究』（一八〇一年）において、数論や代数学の問題について、幾何学（作図に基づく構成的な幾何学）によって証明を与える。そして、五次以上の代数方程式は代数的な一般解を持たないことが、ガウスの平方剰余相互法則や定規とコンパスによる作図可能問題とも関わる円分方程式論に発想を得ながら、アーベル、続いてガロアによって証明された。

N・H・アーベル（一八〇二〜一八二九）は、ガウス、C・G・J・ヤコビ（一八〇四〜一八五一）と共に一九世紀を通して数学的発見の大きな源泉となっていく楕円関数論に大きな業績を残した数学者である。楕円関数とは、楕円や双曲線、レムニスケート（二点からの距離の積が一定の曲線の特別な場合）の弧長の計算に由来する楕円積分の逆関数である。アーベルは、この楕円関数を代数方程式論と結びつけながら、五次以上の代数方程式は代数的な一般解を持たないことを証明したのである。

次いで、ガロアは、ラグランジュによる解の入れ替えによる対称性を明確にしながら五次以上の代数方程式が代数的な一般解を持たないことを証明した。ガロアは解の入れ替えによって変わらない、今日〈体〉と呼ばれる加減乗除の四則演算で閉じた数の体系を顕わにすることで、代数方程式の代数的な可解性についての問題を解決に導くのである。解の入れ替えによる対称性の分解の仕方と、元々の代数方程式の係数の生成する数の体系に冪根を添加することによって生み出される数の生成する数の体系との間に正確な対応関係があることをガロアは示した。入れ替えの操作の分解の列と、その操作によって不変になる冪根の添加による数の体系の拡大の列の間には包含関係を逆にして正確な対応関係があるのである。四つ以下のものの入れ替えの操作はある単純な規則性をもって分解されるが、五つ以上の入れ替えの操作にはそのような分解は存在しない。そのことをもってガロアは五次以上の代数方程式には、代数的な一般解が存在しないことを示したのである。

†ガロア理論が成立するまでの方法的変遷

代数方程式の冪根を用いた一般解の探究についてのラグランジュ以前の方法からラグランジュの方法への移行と、カント哲学からフィヒテ哲学への移行との間には一種の類似性が見出せる。ラグランジュもフィヒテも、カントのように対象の構成の可能性を経験の可能性と同一視しない。ラグランジュは数学の方法を、フィヒテは哲学の方法を感性から、さらにそれらを対象からも解放する方向へと向かう。すなわち、二人とも、存在と対象を純粋に知性において主題化するだけでなく、形式と操作を主題化する構造的方法へと向かっていくのである。

上述したガウスの幾何学的直観に依存する数学的方法を、ガロアは純粋に代数学的なものに転換させながら、代数方程式の可解性についての問題を解く。ガロアの仕事の重要性は、代数方程式の可解性は解の入れ替えの対称性の問題に帰着され、代数方程式そのものは忘れてもよいことを示したことである。この入れ替えの操作そのものは数学的対象として主題化され、乗法と単位元に対する逆元で閉じた〈群〉として捉えられることになる。また、加減乗除の四則演算を満たす数の体系は後にデデキントによって〈体〉と名付けられることになるが、ガロアは、出発点となる体（基礎体）に冪根を添加して拡大された体（拡大体）を構成する方法を導入する。

4 ガロア理論と群論の、関数論や幾何学、微分方程式論への拡がり

†リーマン面の導入

一九世紀半ばまで、解析関数論は大きく発展していたが、複素関数（複素数を変数とする関数で、一般には関数値も複素数）の良い性質〈解析性〉をいかに正確に定義するのか、関数の多価性を

いかに扱うべきかということなど大きな問題があった。B・リーマン（一八二六〜一八六六）は、学位論文「複素一変数関数の一般論に対する基礎」（一八五一年）において、まず複素平面（複素数を実数の軸と虚数の軸からなる二次元の平面ととらえる描像）のどの方向から近づけても同じ微分係数をとる複素関数を解析関数と定義し、このような関数は今日コーシー＝リーマンの方程式と呼ばれる方程式を満たすことを示した。

この解析性についての条件の下、リーマンは多価の複素関数を、後にリーマン面と呼ばれる幾何学的描像を用いて、一価の解析関数にすることを考える。リーマン面について本質的なことは、複素数上の多価関数であるということを、複素平面が複数枚重なり合っていることと解釈するということである。複素平面上の変数 z を点 a（通常は関数値がゼロになる点）の周りで連続的に回転移動させた際、同じ変数値に戻るごとに関数は異なる値をとるような場合、変数 z が一回転するごとに別の複素平面に移っていくと解釈するのである。このような点 a を分岐点と呼び、すべての分岐点の周りで同様なことを考える。このような解釈を基にして、変数の定義域のある一次元複素空間と関数の値域のある一次元複素空間から成る二次元の複素空間すなわち四次元の実空間に埋め込まれた二次元の実曲面を構成する。このような関数の幾何学的描像がリーマン面であり、多価関数は一価の関数として理解されるようになる。

このリーマン面の中でもっとも単純なものの一つが、すべての分岐点の周りにおいて、平方

楕円曲線の構成

変数 z の代数関数

$$R=\{(z, w)|w^2=(z-a_1)(z-a_2)(z-a_3)\}$$

のリーマン面である楕円曲線を構成するには、二枚の複素平面に無限遠点を加えて二つの球面を作り、それに a_1 と無限遠点∞、a_2 と a_3 を結んだ線で切れ目を入れ、それを連続的に変形してつなぎ合わせる。

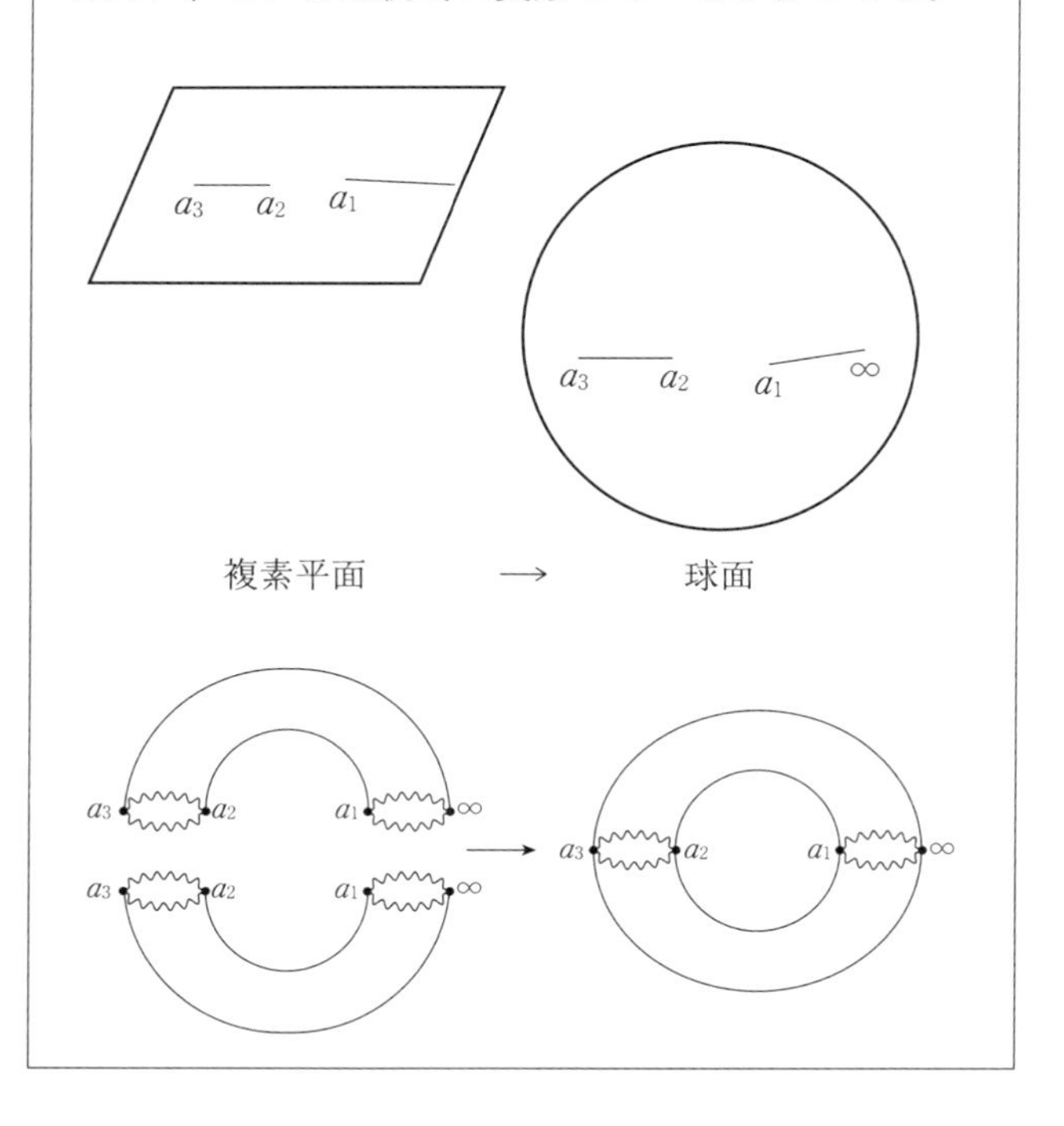

根の因子を持つ二価の関数についてのものである。その中で、平方因子を含まない一次、または二次の多項式の平方根を取った二価の関数のリーマン面は球面になる。また、平方因子を含まない三次、または四次の多項式の平方根をとった関数のリーマン面を楕円曲線と呼ぶ。楕円曲線は穴が一つ（種数一）のトーラス面（ドーナツ状の形の表面）となる。そして、楕円積分は、この楕円曲線すなわちトーラス面上の経路に沿った積分となる。この見方が、それまでの楕円積分の捉え方を大きく変えていくことになる。

しかし、K・ワイエルシュトラス（一八一五〜一八九七）のような厳密性を数学の基礎に据えようとする数学者は、リーマンの用いる〈面〉といった曖昧な概念は数学において用いるべきでないと考える。そして、彼は、楕円積分の逆関数と等価である℘（ペー）関数と呼ばれる無限級数を用いて楕円積分の理論を展開していく。そして、後に、様々な関数と群論の関係がリーマン面という概念を通じて明らかにされていく。

リーマン面の〈面〉とは何か。ガウスによる複素平面や三次元実空間内の曲面幾何学については、二次元ないし三次元の物理的空間とのアナロジーの下、感覚表象的に視覚化可能である。しかし、何重にも重なり合った複素平面、ないし四次元の実空間（複素二次元）に埋め込まれた二次元の面としてのリーマン面は、三次元の実空間の中において厳密な意味では視覚化不可能である。このような理由から、リーマン面の〈面〉という幾何学的対象を、数学的対象として基礎づけることの必要性にリーマンは迫られることになる。そのような文脈の中で、リーマンは曲面幾何学（三角形の角度の和が一八〇度より大きくなる幾何学）や双曲幾何学（三角形の角度の和が一八〇度より小さくなる幾何学）といった非ユークリッド幾何学を一般化する微分幾何学を構築し始める「幾何学の基礎をなす仮説について」（一八五四年）というタイトルの教授資格取得講演の冒頭で、空間概念の基礎づけのために、現代の集合や位相に繋がる〈多様体〉の概念（現代数学の多様体の概念とは異なる）を導入する。

†デデキントによる代数関数論と代数学の抽象化

代数関数とは、多項式関数を係数に持つ代数方程式の根として定義できる関数であり、楕円関数もそれに含まれるが、リーマンの弟子であるJ・W・R・デデキント（一八三一〜一九一六）も、リーマン面による代数関数へのアプローチに満足しなかった。一方、一八七〇年代頃からガロア理論が数学界で受容され始める。デデキントは〈体〉という概念を導入しながら、ガロア理論にとって本質的な考え方、すなわち、〈体〉とは、有理数のように加減乗除の四則演算で閉じた系であるが、ある体（基礎体）について、それ自身に含まれない元を添加することで拡大体を生成することができるという考え方を表現した。そして、このような体の拡大（ガロア拡大）に対応して、それを固定する群（ガロア群）が存在するとしたのである。

有理数と整数の概念が拡大され、数の集合が構成され、次第に大きくなっていく。ガロアがその理論を構築する中で導入したように、代数体（代数的数）とは、整数を係数とする代数方程式の解として表せる複素数のことであり、その代数方程式の最高次の係数が一の場合に、それを代数的整数と言う。これらはそれぞれ、通常の有理数と整数の概念を拡大したものである。デデキントとH・ウェーバー（一八四二〜一九一三）は、それをさらに拡張して代数関数体の理論を、有理数体の拡大体である代数体の理論との類似性に導かれながら構築した。このようにして、デデキントは代数関数論を代数的数論に導かれながら構築していくが、それを通して、代数学は、任意の対象の集合上に定義された代数的な構造の科学へと変容していく。関数の集合の生成する体系は、数の集合の生成する体系の拡張として理解されるようになる。別の見方をすると、代数関数論の中で、数概念が拡大されたともいえる。そして、これらのことが大きな動機となって、デデキントは実数の基礎づけ、自然数の基礎づけ、さらに集合論の構築に向かっていくことになる。

リーマン面は、類比的な意味にしかすぎないかもしれないが、関数の振る舞いを「目に見える」ようにした。リーマンに続いて、ワイエルシュトラスが解析的な方法で、続いてデデキントが代数的な方法でリーマン面を再構成した。それによって、リーマン面に内在する構造が顕わになった。ここで、構造とは、関数的対応関係に純化された同型性によってのみ定義されるものである。そして、この対応関係を顕わにすることこそ、数学的シンボルそして代数学の本質的役割である。ここには、カント哲学からフィヒテ哲学への移行と類似した移行が観察される。また、それはカント哲学内部での〈直示的構成〉から〈記号的構成〉へのフィヒテ哲学を介した転換と理解することもできる。

†エルランゲン・プログラムとリー群の誕生

F・クライン（一八四九〜一九二五）はそのエルランゲン・プログラム（一八七二年）の中で、変換群のもとでの不変量、すなわち群の顕わにする対称性こそが幾何学の基礎にあると主張し、その見方において、代数方程式論を正多面体の対称性と結びつける。例えば、四次の代数方程式の一般解は、鏡像を含む正四面体、ないし正六面体の対称性と結びついている。また、五次の代数方程式は代数的な一般解は持たないものの、その解の公式は正二〇面体の対称性と結びついて楕円積分によって書ける。クラインは、それらの研究によってガロア群の幾何学的意味を顕在化させ、保型変換（関数を不変にする変数変換）によるリーマン面を構成し、その中で双曲幾何学との結びつきを明らかにする。一方、H・ポアンカレ（一八五四〜一九一二）は、リーマン面に微分方程式論とガロア理論と結びついた群論（モノドロミー群）を結びつけながら、微分方程式論の幾何学的描像を得ていく。

S・リー（一八四二〜一八九九）は、常微分方程式が解ける条件をガロア理論と類似な方法を用いて探究することを、一八七〇年代に自らに課した。リー自身はこの試みに成功しなかったが、有限次元連続群の概念を生みだした。リーは、微分方程式に現れる連続群についての一般理論から、今日リー群と呼ばれる幾何学的にも非常に重要な連続群を生み出したのである。そして、このことが、代数方程式の代数的解法と微分方程式のシステムの一般的積分の探究との間に完全な類似があることを示したC・E・ピカール（一八五六〜一九四一）とE・ヴェシオ（一八六五〜一九五二）の仕事に道を開いた。

さて、クラインは、「長さ」や空間の曲がり方の大きさを示す曲率を一定に保つ変換群の違いによって、幾何学的空間の違いが生じると考え、曲率正の曲面幾何学や曲率負の双曲幾何学といった非ユークリッド幾何学をエルランゲン・プログラムの中に包摂する。ちなみに、曲率ゼロの空間はユークリッド幾何学の空間である。それに対して、彼は、位置によって異なる曲率を持つ空間からは、そのような不変量は取り出せないとして、リーマンによって導入された微分幾何学を重要なものと認めなかった。しかし、微分幾何学は、物理学者アインシュタイン（一八七九〜一九五五）によって一九一五年に見出された一般相対性理論という物理的時空の描像に用いられた。さらに、数学者H・ワイル（一八八五〜一九五五）やE・カルタン（一八六九〜一九五一）が、微分幾何学に内在するリー群によってその空間の対称性を顕わにした。このように微分幾何学はエルランゲン・プログラムの変換群による幾何学という視点に包摂されていくのである。

5 おわりに

†一九世紀数学とは何であったのか

本章では、群の概念をめぐって、数学における抽象化、構造の顕在化について見てきた。しかし、そのような抽象化は一方向的なものではなく、常に数的ないし幾何学的直観と結びついた数学的に豊饒な概念を再構成していく契機を含み持ったものである。すなわち数学における抽象化は、その意味で具体的抽象化なのである。このことをもう一度、振り返ってみよう。

一九世紀中頃までに、ガウスやリーマンらが数論的、幾何学的な直観と結びついた数学を生み出し、楕円関数やリーマン面といった概念が、曖昧な点を残しながらも、様々な数学概念を生み出す豊かな土壌として存在していた。一方、ガロア理論は一九世紀初頭に誕生していたものの、暫くの間、埋もれていた。そのような状況の中で、一九世紀半ば過ぎから、数学がその自律性を得るために、概念の明確化と証明の厳密化が要求され、曖昧な直観的なものの入る余地がない公理化された数学の構築の試みが始まったのである。

リーマンは、空間概念のために〈多様体〉という現代の集合や位相に繫がる概念を導入し、非ユークリッド幾何学を一般化しながら内在的に曲がったり歪んだりしている空間を扱う微分幾何学を構築し始めた。また、次第にデデキントらによりガロア理論の重要性も気づかれ始め、新しい代数的概念が生まれ始める。そのような状況のもと、ワイエルシュトラスやデデキントによる数学的証明の厳密化や、解析学の代数学化・算術化という流れが生まれる。デデキントは、一つ一つの関数を考えるのではなく、加法や乗法といった代数演算によって閉じた集合を考えた。すなわち、代数関数の集合に体や環、イデアルといった代数構造を入れ、代数関数体や代数関数環などの概念を定義したのである。そのようなことがデデキントらによって集合論が生み出されていく動機となっている。一方、G・カントール（一八四五〜一九一八）は三角関数の無限級数の研究に由来する解析的な手法をとりながら、無限集合について深い洞察を与えることに成功した。

そのような文脈の中で、G・フレーゲ（一八四八〜一九二五）は記号論理学を生み出し、数学を論理学に還元しようとする。フレーゲが一八七九年に導入した「概念記法」は、論理学の上に算術を基礎づけることに向けて、推論の連鎖において一切の直観的なものを排除するためのものであった。また、D・ヒルベルト（一八六二〜一九四三）は、一八九九年に出版した『幾何学の基礎』の中で、幾何学の無矛盾性は算術の無矛盾性に帰着できることを示した後、数学の基礎付けを算術の無矛盾性の証明に置き、系の中のすべての真なる命題を公理系から有限のステップで形式的に証明することを目指す形式主義を掲げた。

これらの抽象的形式化の作業は確かに目覚ましいものであったが、同時にガウスやリーマンらの生み出した数的直観や幾何学的直観に依拠した数学概念の重要さが忘れられてはならない。数学概念が厳密化されればされるほど、概念のもつ一種の豊饒さは貧しくなってしまうということも起こる。そのため、ポアンカレのように、数学の厳格な形式化や公理化への傾きに対して警鐘を鳴らす数学者も現れた。実際、数学の様々な領域における概念の複雑な絡み合いや干渉から常に新たな概念が生まれてくるというのが実際の数学なのである。一九世紀の数学そして論理学といった形式科学の革命は、このような状況の中で二〇世紀に引き渡されていったのである。

さらに詳しく知るための参考文献

金森修編『エピステモロジー』（慶應義塾大学出版会、二〇一三年）……第二章の原田雅樹著「ヴュイユマンにおける〈代数学の哲学〉」において、本章でも挙げた哲学者ジュール・ヴュイユマンの著作を紹介・解説している。本書にはこの他、カヴァイエスやグランジェなど、フランス・エピステモロジーの代表的な哲学者が数学と哲学についてどのような形で思索を展開したかについての著作が多数含まれている。

下村寅太郎『科学史の哲学（下村寅太郎著作集Ⅰ　数理哲学・科学史の哲学）』（みすず書房、一九八八年）……著者は京都学派に属した哲学者で、数学や科学を題材にして弁証法を構築した。本書の中で、数学史、自然科学の歴史と哲学史の進展の関係、特に、近代数学については、微分幾何学や群論と哲学的観念論の関係についての著者の思索が展開されている。

アンリ・ポアンカレ『科学と方法』（吉田洋一訳、岩波文庫、一九五三年）……二〇世紀の科学哲学、フランス・エピステモロジーにも大きな影響を与えたフランス人数学者ポアンカレが、数学や自然科学についての思想を述べた著作。一九世紀末から二〇世紀初頭の数学の状況がよくわかると同時に、算術については直観主義、幾何学については規約主義という著者の哲学的立場がよく理解できる。

加藤文元『物語　数学の歴史』（中公新書、二〇〇九年）……古代バビロニア・エジプト・ギリシアから二〇世紀の数学者グロタンディークにいたる数学史を概観する本だが、数学者である著者の数学に対する考え方がよく表れている。ガロア理論やリーマン面といった一九世紀に生み出された数学理論が、どのように「構造」を基礎にすえて空間概念を再構築した二〇世紀の数学に影響を与えたかがよくわかる。

イアン・ハッキング『数学はなぜ哲学の問題になるのか』（金子洋之・大西琢朗訳、森北出版、二〇一七年）……著者は英米分析哲学とフランス・エピステモロジー特にミシェル・フーコー双方からの影響を受けた哲学者。著者は、いわゆる分析哲学系の数学の哲学と実際の数学との間には大きな距離があると考え、様々なスタイルの数学を記述しながら、新しい数学の哲学の可能性を探っている。

コラム4　一九世紀ロシアと同苦の感性

谷　寿美

西欧圏からは常に辺境扱いされてきたロシア、一八世紀からのその歴史は西欧への志向と対峙を欠いて成り立つものではなかった。模倣に始まり、思想導入によって彼我の相違を知り、吸収同化と批判に揺れつつ、独自の諸思想が形成されてきた。ピョートル大帝の欧化政策よりほぼ一世紀半遅れの日本の開国も余儀なくされたものとはいえ、西欧文明移入以降については、ロシアとは異なりつつも、似る面もある。

ロシアでは、派遣され西欧に学んで帰国した青年達のうち、例えばラジーシェフ（一七四九〜一八〇二）は啓蒙思想に開眼した立場から祖国の農奴の惨状を見、満腔の同情をもってその社会的不正を糾弾する書を著した。即刻流刑に処せられ命を絶つが、それから四半世紀後にはデカブリストと呼ばれた青年将校達がやはり農奴制の廃棄と政治的変革を求めて蜂起している。シベリア送りとなった者が一二一名。後を追って流刑地に赴き近くに住まい続けたデカブリストの妻達から、ペトラシェフスキー事件に連座し、手枷足枷でオムスクに赴いた二八歳のドストエフスキー（一八二一〜一八八一）は聖書を受け取っている。五年に及んだ徒刑生活の中でその一冊が作家にいかなる意味を持ったかは語るまでもない。

虐げられた人々に寄り添う感性が作家の出発点であった。それはロシア・インテリゲンツィアに共通する感性でもあり、一九世紀後半には民衆の悲惨の変革は内からと、ナロードニキが活動を開始した。運動は分裂してテロリズムに移行し、八一年の皇帝暗殺に至るが、この時、暗殺者の死刑宥恕（ゆうじょ）を語ったのが哲学者ソロヴィヨフ（一八五三〜一九〇〇）である。ドストエフスキーの葬儀後まもなくの講演会で、皇帝はキリストの教えを体現し許すことができると語り、シベリア送りを警告されている。ロシアはその後、動乱期をひた走り、大戦と共に時代は地獄の様相を呈していったが、ここでは一点指摘しておきたい。

革命期の排斥に倦み果てた結末はどうあれ、そもそもの変革の志は他者の苦しみを共にする感性から始まったということである。西欧精神は自由と自律の啓蒙社会を語り、共感の重要性も十分理解し伝えてきた。しかし他者の苦しみを我が事の如く感じ直ちに実践に踏み込む人々が世代を継いで続いたかどうか。慈悲と無我を仏教により教えられてきた我が国もそうである。少なくとも明治期以降西欧に接し構築された哲学の分野で、他者を思い、他者を優先する思想が奔出したか。個人の、私のみの証得など歯牙（しが）にもかけずソロヴィヨフは語る。「全てが苦しみ滅びていくその中で、自分一人が幸いを享受し得るものか？」法華経精神から同様を語った宮沢賢治のように、キリスト教精神から西欧哲学を批判し、全一世界を志したロシアの哲学者も、感性の継承において一人であって一人ではない。

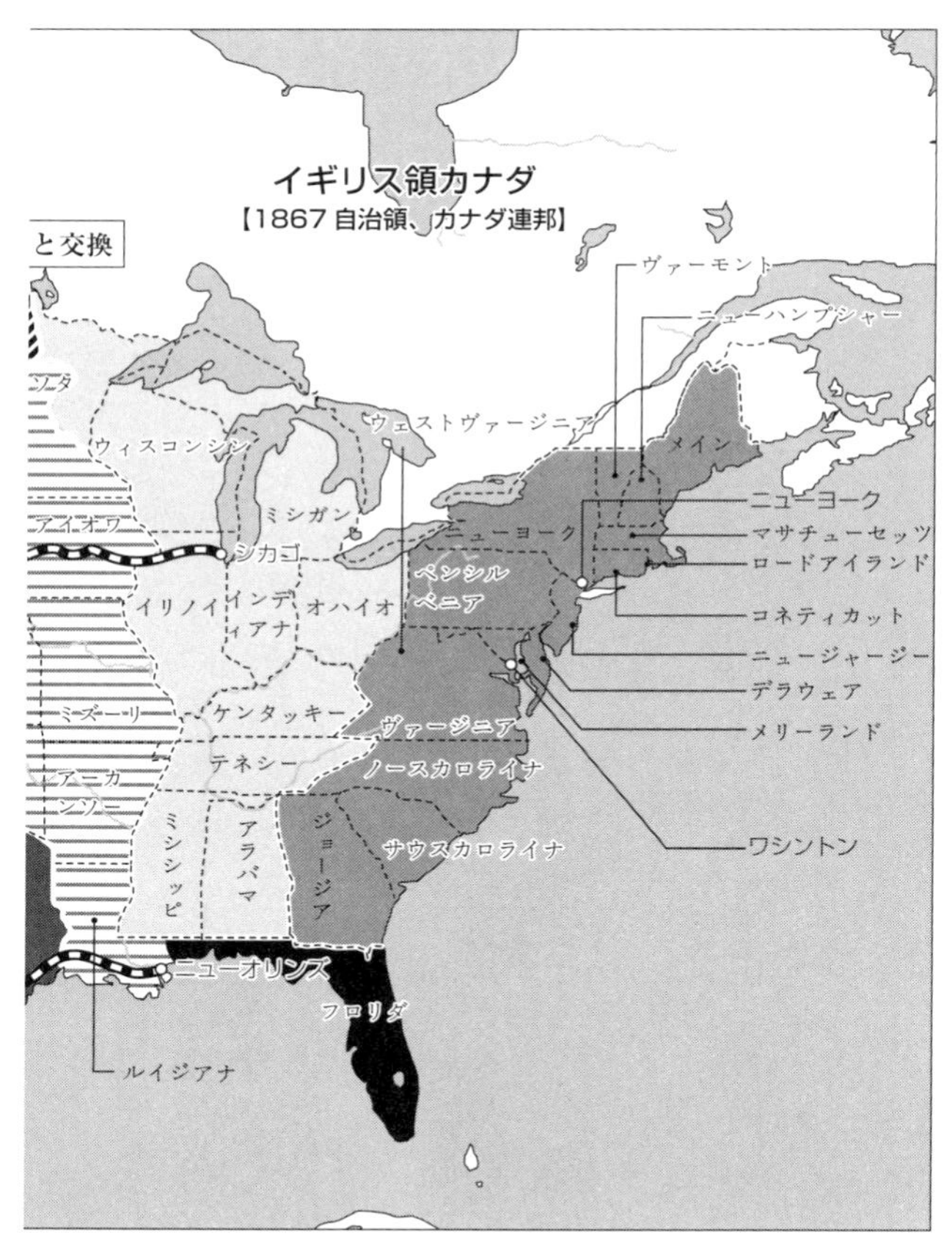

13 植民地

1783 年パリ条約により
イギリスから獲得

1836 年独立／45 年併合

1818 年イギリスへ割譲

1803 年フランスより買収

1848 年アメリカ=メキシコ戦争
により獲得

1819 年スペインより買収

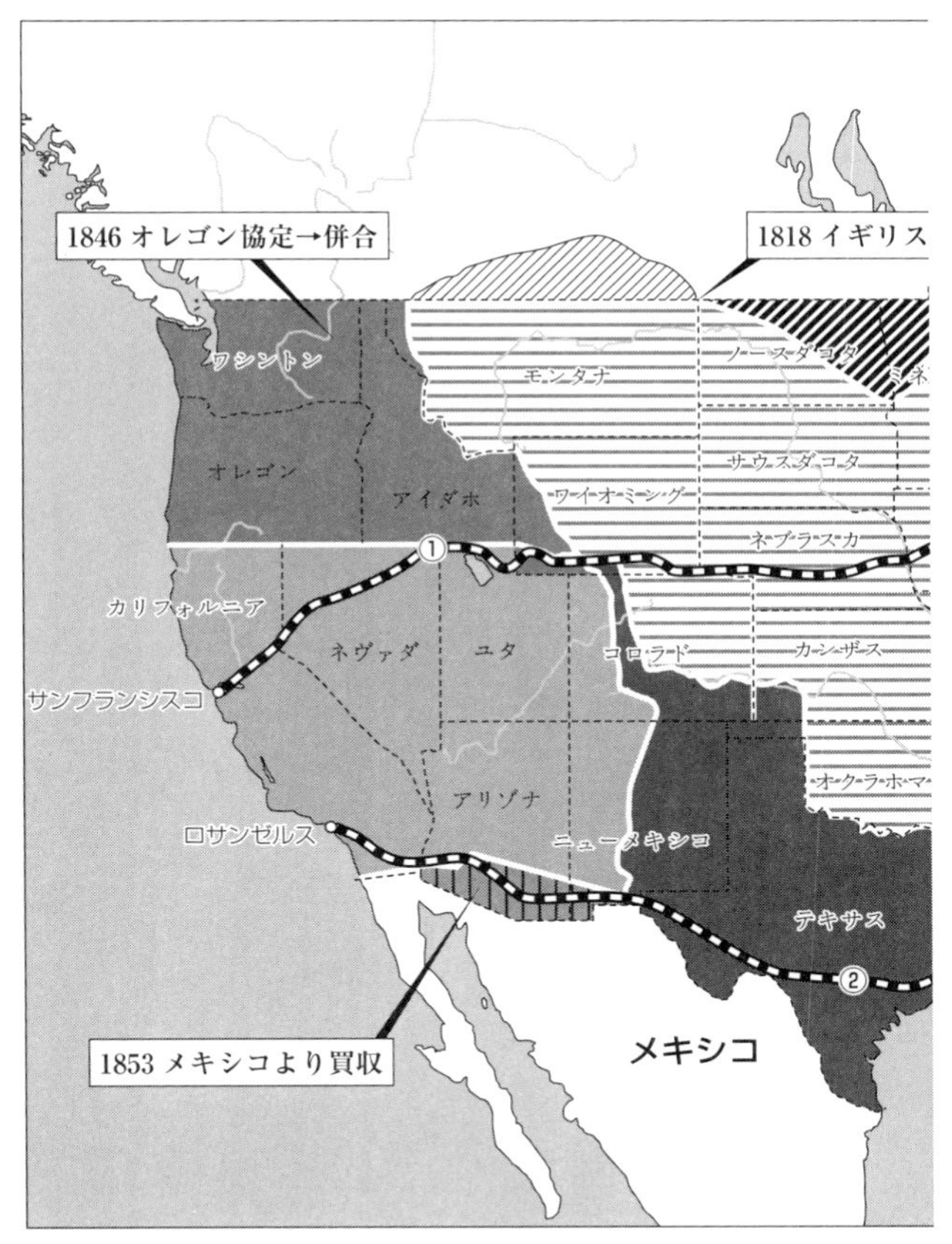

アメリカ合衆国の発展

-------- 州境　白線 買収または獲得の境界

①ユニオン=セントラル=パシフィック鉄道（1869）

②サザン=パシフィック鉄道（1883）

第7章 「新世界」という自己意識

小川仁志

1 プラグマティズムとは何か

†新世界アメリカで誕生した哲学

新しい世界には、新しい思想が生まれる。一八世紀、アメリカという「新世界」が誕生し、そこで新しい思想プラグマティズムが育まれていった。またそれは、旧世界であるヨーロッパに対する新たな自己意識の芽生えであったといっても過言ではない。

かつてヨーロッパも、神の世界から人間の世界へと転換する近世の初め、新しい世界にふさわしい思想を生み出した。フランスの哲学者ルネ・デカルトに象徴される確実な知識観である。探究の結果、人間は確実な知識に至りうるとする主張だ。ある意味でプラグマティズムは、そのデカルトに端を発するヨーロッパの哲学を乗り越えようとする試みであったといっていいだろう。プラグマティズムの大きな特徴の一つが反デカルト主義であることも決して偶然ではない。

そして実際に、二〇世紀ついにアメリカはヨーロッパを乗り越えた。わずか二百数十年前に建国されたばかりの国が、何もないところから政治的経済的に世界一の国になり得たのはなぜか。それはこの国にプラグマティズムが誕生し、激動する新世界の中で実践されてきたからだとは考えられないだろうか。

そう、プラグマティズムは実践のための哲学にほかならない。もちろん他の哲学と同じく、プラグマティズムにも様々な立場があり、一義的な定義が存在するわけではない。しかし、プラグマという語がギリシア語の「行為」や「実践」という意味の単語に基づくものである以上、これが何らかの実践を重視する哲学であることは間違いない。

だから「実用主義」と訳されたりもする。つまり、実践することで、実用的に使う哲学なのだ。従来の哲学が知識や真理の探究を目的としてきたのに対して、プラグマティズムはむしろ問題解決の実践のために、既存の知識や真理を手段として使おうとする営みだともいえる。その点では、動機やプロセスよりも結果を重視する帰結主義でもある。

アメリカはまさに何もないところから、様々な問題を解決し、結果を出し続けてきたわけであるから、プラグマティズムを実践することで成功したという先の仮説もあながち間違っていないように思われる。

†プラグマティズムの歴史

学問の世界において、思想としてのプラグマティズムが産声を上げたのは、一九世紀末だといっていいだろう。それからいくつかの段階を経て、プラグマティズムは今なお発展し続けている。その歴史は大きく三つに分けることができる。

まず一九世紀末から二〇世紀初頭にアメリカで構築されたいわば「古典的プラグマティズム」である。チャールズ・サンダース・パース（一八三九～一九一四）、ウィリアム・ジェイムズ（一八四二～一九一〇）、ジョン・デューイ（一八五九～一九五二）らがその中心人物として挙げられる。次に、二〇世紀後半にアメリカを中心に西洋世界に広がった「ネオ・プラグマティズム」である。こちらはウィラード・ヴァン・オーマン・クワイン（一九〇八～二〇〇〇）、リチャード・ローティ（一九三一～二〇〇七）、ヒラリー・パトナム（一九二六～二〇一六）らが中心人物として挙げられる。

さらに、二一世紀の今、「ニュー・プラグマティズム」とも呼ぶべき新たな潮流が芽生えつつある。ここで誰が中心人物として挙げられるかは必ずしもまだ評価が定まっていないが、たとえばシェリル・ミサック（一九六一～　）やロバート・ブランダム（一九五〇～　）らの名前を挙げることができるだろう。ミサックはこの思想の昨今の特徴であるパースの再評価を推進しつつ、プラグマティズムを世界展開している人物であり、ブランダムはローティの直弟子でありかつその批判的継承者ともいえる人物である。その意味で、彼らは新しい段階を象徴する研究者だからだ。

本来、プラグマティズムという進化し続ける思想の全貌を知るためには、上記のようなネオ・プラグマティズムや二一世紀の今の潮流にも目を配るべきところではある。しかし、そこは本章の趣旨から逸脱してしまうので、その点については最後に少し展望するとして、ここでは、プラグマティズムの原型を確立し、新世界に新たな自己意識をもたらした古典的プラグマティストたちに焦点を当ててその概要を紹介していきたい。実際、その後のプラグマティズムの議論は、この古典的プラグマティストたちの思想をめぐって繰り広げられる再評価の攻防であるといっても過言ではない。

†従来の旧世界の哲学との違い

パース、ジェイムズ、デューイといった古典的プラグマティストたちの個々の思想を概観する前に、そもそもプラグマティズムのいったいどこが旧世界ヨーロッパで育まれて来た従来の哲学と異なっているのか確認しておこう。ここでは、いずれのプラグマティズムにも最大公約数的に当てはまりうる二つの大きな違いに着目する。一つ目は、先ほども触れた反デカルト主義である。もう一つは、事実と価値の区別の否定という点である。

反デカルト主義が、デカルトの哲学に象徴される確実な知識観を否定するものだということはすでに述べた通りである。つまり、探求の結果、人間は確実な知識に至りうるとする主張に異議を唱えるわけである。とりわけパースの場合、その確実な知識に至るプロセスとして、デカルトが想定するような過剰な懐疑、つまり自らの信念を全面的に白紙撤回するようなことはあり得ないと断言する。

デューイもまた反デカルト主義に立つといっていいが、彼の場合、デカルトに代表されるヨーロッパの哲学が、認識者を単なる傍観者として位置づけている点を批判する。私たちはあたかも世界を外から傍観することで知識を得ているのではなく、むしろ世界の中に入り込むことで知識を生み出しているはずだというわけである。

では、もう一つの特徴である事実と価値の区別の否定とはどういうことであろうか。従来のヨーロッパの哲学では、事実と価値は峻別されていた。これは事実を真理と置き換え、価値を有用性と置き換えるとよくわかるだろう。何が正しいかということと、それが役に立つかどうかは別の事柄だったわけである。

しかしプラグマティズムによると、そうはならない。たとえばジェイムズにいわせると、真理とは信念における事実との対応ではなく、あくまで行為を導くのに役立つ道具なのである。

つまり、有用性の有無こそが真理を決めるのである。これはデューイにとってもまた同じである。彼は問題を解決することができる知こそが真理であるとして、道具主義（Instrumentalism）を唱えるに至った。

以上のような反デカルト主義や事実と価値の区別の否定という二つの特徴から浮かび上がるのは、プラグマティズムが正しさそのものよりも、正しさを確かめる方法こそを重視しているという点だといっていいだろう。その方法論がどのように発展し、確立されていったか。時系列的に追っていきたい。

2 パース

†プラグマティズムの父

本章の冒頭で、プラグマティズムが、新世界に芽生えた自己意識の賜物であることを紹介した。その意識が最初に具体的な形になって表れたのは、一九世紀後半のニューイングランドにおいてである。当時のアメリカでは、旧世界ヨーロッパの科学に追い付き追い越そうという機運が高まっていた。また同時に、思想の分野においても、旧世界を象徴する神学校の伝統に対抗するような新たな考え方が求められていた。

その中心を担ったのが、ハーバード大学である。プラグマティズムの父となるチャールズ・パースは、そこで科学や哲学を学び、ついにプラグマティズムの原型となる理論を提唱することになる。もちろんそれは、彼一人の突然の思い付きによって生まれたものではないだろう。あらゆる思想や発明がそうであるように、そこには同時代において切磋琢磨する探究者たちの交わりが影響している。プラグマティズムの場合、メタフィジカル・クラブという読書会がその交わりの場であった。現にジェイムズもまたこの読書会のメンバーの一人だった。

そうした交わりを経て、パースはまず、デカルトに象徴される旧世界の哲学に異議を投げかけた。つまり、デカルトが主張するような完全な懐疑など不可能だというのだ。いわばデカルトは、真理を発見するために、いったんすべてを完全に疑うべきだとした。それによって、絶対的な確実性の基礎にコギトを措定した。「私」を意味する概念である。こうして土台が出来上がれば、あとはその上に知識の層を重ねて行けばいいといわんばかりに。

ところがパースは、本来人間はそのような疑い方をしないと考えた。そうではなくて、本物の懐疑とは、むしろ人間がある種の信念を持っており、それに基づいて行動をしようとする際生じてくる問題の提起ではないかというのだ。そして人間が様々な行動への欲求にかられ、行動し続ける生き物である以上、信念とそれへの懐疑、それによる新たな信念の創出はずっと繰り返されることになる。

だとすると、あらゆる信念が確実ではありえないので、そのもとに成立する真理なる概念も存在しなくなることになる。この問いに答えるために、パースはついに方法としてのプラグマティズムを発表するに至った。

†プラグマティックな格率

ここでもパースは、デカルトの掲げた格率を批判する。デカルトは、明晰判明な観念を真理の基準にせよという格率を掲げていたわけだが、これは単なる個人の主観にすぎないというのである。そもそも真理の基準になるべき明晰判明な観念そのものがおかしいということだ。それに代えてパースは、次のような「プラグマティックな格率」なるものを提唱する。

われわれがもつ概念の対象は何らかの効果を及ぼすと、われわれが考えているとして、もしその効果が行動に対しても実際に影響を及ぼしうると想定されるなら、それはいかなる効果であると考えられるか、しかと吟味せよ。この吟味によってえられる、こうした効果についてわれわれがもつ概念こそ、当の対象についてわれわれがもつ概念のすべてをなしている。
（パース「我々の観念を明晰にする方法」、植木豊編訳『プラグマティズム古典集成』第七章、一八二頁）

ポイントは、対象が行動に対しても影響を及ぼすときの効果を吟味せよという点である。パースによると、思考が明晰判明であるということと、行動の指針になるということは密接に結びついているのだ。つまり私たちの思考内容は、行動に際しての有意義さという観点から明晰化されなければならないということである。たとえば、ある物が「固い」というのは、それを「ひっかく」行動に際して、「傷がつかない」という効果があることを意味する。

こうして何が本当に明晰な観念であるかを明らかにした後、パースはそこから導かれる真理の内容へと議論を進めていく。では、パースにとって思考の明晰化にふさわしい真理の探究方法とはどうのようなものなのだろうか?

ここでパースが提案するのが、科学的探究という方法である。彼は、人間にとって科学が一番信頼性の高いものだと信じていた。なぜなら科学は、帰納的推論と仮説形成的推論、さらに演繹的推論という複数の推論によって互いに補強し合うことで答えを導くものだからだ。しかもそれを一人の人間の理性だけに委ねるのではなく、複数の探究者が共同で行うのが普通である。科学の世界というのは、研究者たちのサークルを意味しているように。

結局パースにとって、真理とは探究の共同体という理念的な組織において、探究の無際限な継続の果てに見出される、収束点としての最終的信念であるということになる。つまりパースの真理概念のイメージは、可謬的な人間の信念の確からしさを探究者が共同で高めていき、その末に見出される合意のようなものだったといっていいだろう。

こうして、旧世界ヨーロッパにおいて、あたかもそこにあるものとして論じられてきた真理の概念は、新世界アメリカにおいて、いわばつくられる存在へと変わっていったのである。それはすでにある世界ヨーロッパから、つくられつつある世界アメリカへの主役の交替を告げる出来事でもあった。

3　ジェイムズ

†有用性としての真理

パースが世に問うた新しい哲学としてのプラグマティズムは、彼が科学を信奉していたこともあって、割と狭い領域でしか活用されないような思想であった感が否めない。もしプラグマティズムがその最初のカタチのまま引き継がれていたら、もしかしたらその後の大きな発展もなかったかもしれない。

しかし、歴史はそうはならなかった。なぜなら、このプラグマティズムが産声を上げた早い段階で、すでに大幅な再定義がなされたからである。プラグマティズムはもっと守備範囲の広い思想であるはずだと。そして、その再定義されたプラグマティズムの方がむしろ正統なプラグマティズムであるかのように、大きな影響力を持っていったのだ。

ある意味でそれは、その再定義を行った人物の方がパースよりも影響力があったがゆえに。ウィリアム・ジェイムズである。彼はパースの盟友であり、パースのプラグマティズムを世に広めようと努力した。ただ、ジェイムズ自身は心理学や宗教学も専門としていたがために、プラグマティズムをより人間科学に近い形で幅広く活用できるものとしてとらえたのだ。

しかもジェイムズがハーバード大学の教授として、当時アメリカを代表する哲学の第一人者となっていたのに比して、パースは多少大学で講師を務めたことがある程度だった。したがって、当然一般の人々はジェイムズのいうプラグマティズムこそを正当なものとして受け止めたのである。パースの思想が、その潜在性にもかかわらずジェイムズやデューイのそれに比して重視されてこなかったのは、そうした理由によるところが大きいといっていいだろう。

パース自身もこの状況を不服に思い、後に自らのプラグマティズムを「プラグマティシズム」と呼ぶようになる。ジェイムズの再定義の下で人口に膾炙したプラグマティズムと区別しようとしたのだ。ジェイムズの主張がパースと大きく異なっていたのは、先ほども指摘したように、信念を問題にする領域を必ずしも科学的探究に限定しようとしない点である。これはパースにしてみれば、プラグマティズムの存在理由を否定することにもつながりかねない拡大解釈であった。なぜなら、もともとパースがプラグマティズムを唱えたのは、従来の哲学と違って、科学のごとき明晰さを探究する必要性を感じていたからである。

だが、ジェイムズは、何かを信じようという心の動きは、何も科学に限ったものではないはずだと考えたのである。そこからジェイムズは、彼の哲学者としての最初の著書である『信じようとする意志』の中で、人間には分野を問わず「信じる権利」があると主張するに至る。たとえその信じる対象がどのようなものであったとしてもである。では、その対象を真理と呼ぶとしたとき、いったいそれにどんな意味があるのだろうか?

ジェイムズにいわせると、それは後から意味を持つことになる。つまり、信念は初めから真理であると分かっていなくてもいいのだ。そうではなくて、実際の運用のプロセスにおいて、後からその有用性の有無を確かめることで、真理であると確かめられればいいというわけである。こうしてジェイムズは、次のように信念が真理であるのはそれが有用であるからだと結論づける。

そのとき諸君はその真理について、「それは真理であるから有用である」とも言えるし、また「それは有用であるから真理である」とも言える。これら二つの言い方は正確に同じことを、すなわち、これこそ充足され真理化されうる観念だ、ということを意味している。

（W・ジェイムズ『プラグマティズム』桝田啓三郎訳、岩波文庫、二〇三頁）

もちろんこうしたジェイムズの真理観には、多くの批判が寄せられた。なぜなら、ジェイムズによると、真理と有用性を同じ次元でとらえることになるが、それは事実と価値を混同することにほかならないからである。

これに対してジェイムズは、そもそも従来の哲学が前提とする事実と価値の峻別自体に問題があるという反論を展開した。つまり、従来の哲学は事実と価値を峻別し、その二項対立のもとに様々な考えの対立について議論してきたが、結局結論が出ていないという。したがって、むしろそこには理性を超えた気質的な対立が存在するにすぎないというわけである。

†純粋経験

とするならば、もはや事実と価値の峻別は絶対的なものではなくなる。言い換えると、人間は、何らかの事実をとらえて、それに対して価値づけしていく存在ではなくなるのだ。通常私たちはこの営みを経験と呼んでいるが、その意味での経験もなくなるだろう。むしろ経験とは、個別の質の感受にすぎないのである。だからジェイムズは、『根本的経験論』などの著書の中で、その経験の概念を「純粋経験」という新しい名前で呼んだ。

いわば経験そのものを意識するのに先立って、それだけで存在する経験である。私たちが経験する世界は、元はそうした純粋経験から成っているのである。そこには事実と価値の区別もなければ、主観と客観の区別もない。

別の表現をすると、純粋経験とは世界のあらゆるものを構成する唯一の素材であるともいえる。たとえば、何かを知るという経験を例に取ると、純粋経験は、その経験によって何かを知る側の意識にもなれば、反対に知られる側の内容にもなりうるのだ。実は両者は、同じ事象の二つの項のようなものにすぎない。

ちなみに、この純粋経験の概念は、日本を代表する哲学者西田幾多郎（一八七〇～一九四五）にも大きな示唆を与え、当時いち早く彼の主著である『善の研究』の中で論じられている。新世界の自己意識の影響は、政治や経済の分野だけでなく、思想の面でもすでに日本に及び始めていたといっていいだろう。

さて、そんな新しい概念である純粋経験は、それが無数に集まって、経験の領野ともいうべき全体を形成するという。個々の純粋経験の変化の総体と表現することもできるだろう。だから常に変化し、流れているのである。経験どうしが互いに連結し合ったり、離接し合ったりしながら。

つまり、私たちが日頃経験しているのは、世界の一部にすぎない。ここからジェイムズは多元論を主張するに至る。私たちの経験が部分にすぎないのであれば、世界全体を一元論的に統一されたものとして描くことは到底不可能だからだ。経験どうしが多様に連結し、離接することで織りなす世界。ジェイムズはそんな自ら作り出した世界観を「多元的宇宙論」と命名した。

かくしてプラグマティズムは、まさに多元的に展開し、理論としてはすべてが出きったような形になった。だからこそ二〇世紀のプラグマティズムはこれらジェイムズの提起したテーゼをめぐって議論する場となるのである。

4 デューイ

†プラグマティズムの実践

すでに見てきたように、パースがプラグマティズムという名の発見をし、ジェイムズがその可能性を最大限広げたということができる。ただ、その可能性はあくまで論理の上のものであった。行為や実践の語に由来するプラグマティズムが、真の意味で完成をみるためには、どうしてもそれを実践することが求められていた。そうしてはじめて、プラグマティズムは生きた哲学になり得るからだ。

その立役者こそジョン・デューイにほかならなかった。彼はプラグマティズムを実践することで、同時にその哲学の完成者にもなったのである。デューイとプラグマティズムの出逢いは、学生時代にさかのぼる。彼は学生時代、パースの論理学の講義に出ていたのだ。その影響もあって、デューイはパースの探究の論理を発展させることを試みる。

パースの反デカルト主義を受け継ぎ、従来の哲学が、認識者を単なる傍観者として位置づけてきた点に異議を投げかけたのである。それはデューイが日本に滞在した時の講演をもとにした著作『哲学の改造』に詳しく記されている通りである。私たちはあたかも傍観者のように物事を外から認識することで知識を得るのではなく、むしろ世界の中に入り込むことで知識を生み出すというのである。

たとえば、何らかの問題に直面したとき、私たちは自ら探究を通じてその状況を打開しようとするだろう。そうやって信念を形成していくはずである。こうした前提のもと、デューイはいかにして人は信念を形成することができるか、その理論を確立していく。その際デューイは、パースと同様、信念は客観的に信頼可能なものになってはじめて固められると考えた。そこで、科学的探究によって推論するための方法を提案したのである。

具体的にデューイが探究のステップとして『思考の方法』や『論理学―探究の理論』などの

著作で提起したのは、①不確定な状況、②問題の設定、③仮説の形成、④推論、⑤仮説のテストといった五つの段階である。つまり、自分の身の回りに何か変化が起き、それに対してどうしていいかわからないとき、私たちはそれが問題状況であることを認識するだろう。そこで、その問題状況をどう処理すべきか、問題解決の切り口を設定することになる。そのうえで、観察によって解決策の予測を行う。いわば仮説を形成するわけである。後はその仮説を演繹的な推論によって修正し、実際にテストするだけである。

うまくこのテストに成功すれば、元の状況は不確定ではなく確定的なものになる。言い換えると、この場合仮説が「保証つき」になったわけである。だからデューイは、この状態を「保証つきの言明可能性（warranted assertibility）」の獲得と呼ぶ。あえて信念と呼ばないのは、主観的な心理状態を指すようにも聞こえるからである。

ただ、デューイによると、そうした保証つきの言明可能性は、どこまでいっても絶対的なものにはなりえない。なぜなら、これらの探究は言語によってなされるものである以上、そこには不可避的に社会的慣習的な要素が反映されるのであって、永遠に不変のものであるとはいえないからである。

だからこそ私たちは、探究の結果を共同体の討議に付して、その評価を検証していかなければならない。かくしてデューイのプラグマティズムは、教育、そしてその先にある民主主義への適用へと向かっていく。ここには明らかにジェイムズの展開したプラグマティズムの影響が見られるといっていいだろう。ジェイムズは、プラグマティズムの適用領域を幅広く人間科学一般に広げた人物だったからである。

†問題解決

デューイはより積極的に、プラグマティズムを社会における道徳的判断や政治的判断に持ち込もうとした。実際、これらの判断もまた実験を通して検証することが可能だと考えたからである。デューイにとっては、そうした探究の姿勢こそが、民主主義と呼ばれるものの内実にほかならなかった。

そのためにまず、学校教育にプラグマティズムを適用すべく、シカゴ大学に実験的な小学校を開設する。彼はここで、学校で学ぶ知識自体に意味があるのではなく、学んだことを社会で役立てることこそが重要であると考えた。そうすると、学ぶ内容自体、もっと実社会で求められるものに近づけていく必要が出てくる。その結果、料理や裁縫、大工仕事なども積極的に科目に取り入れることになった。

また、教育の方法についても、単に話を聞くだけの受動的なものから、自分で作業し、考えさせる能動的なものに変えていった。デューイが「問題解決型」教育の先駆けとされるゆえんである。そのため、教師に向かって同じ方向に並べられた小さな聴講用机を廃止し、子どもたちが向かい合って座ることのできる大きな作業台を導入した。これによって作業もしやすくなるし、話し合いができるからである。こうして教育は民主主義にとって不可欠のプロセスになっていく。

民主的社会は、外的権威に基づく原理を否認するのだから、それに代るものを自発的な性向や関心の中に見出さなければならない。それは教育によってのみつくり出すことができるのである。（デューイ『民主主義と教育　上』松野安男訳、岩波文庫、一四二頁）

こうしてデューイは、学校を「小型の共同体、萌芽的な社会」ととらえ、民主主義を育む場として位置付けた。いわば教育を通じて、民主主義を再構築しようと目論んでいたわけである。だからこそ、社会の問題についても、あくまで公衆（the public）による民主的な解決に期待を寄せたのである。その期待は、価値観が多様化する中で行き詰まる社会を打開する切り札として、今なお高まり続けているといっていいだろう。

現に知識を道具としてとらえるデューイの道具主義は、まさにそれ自体が問題解決のための道具として利用され、社会課題やビジネスにおける課題の解決に適用する試みさえ出てきている。アメリカがイノベーションの国であることと、デューイのプラグマティズムとの間には深い関係があるように思えてならない。

5 進化し続けるプラグマティズム

†ネオ・プラグマティズム

以上のように、「新世界」という自己意識を明確化することに貢献した思想、プラグマティズムの概要についてはおわかりいただけたかと思う。しかし、本章の最初の方でも少し触れたように、プラグマティズムの進化は、その後もとどまることなく続いている。

具体的には、二〇世紀後半に隆盛となった「ネオ・プラグマティズム」の潮流と、さらに二一世紀の「ニュー・プラグマティズム」の潮流である。そもそもアメリカでは、二〇世紀の初めにプラグマティズムが頂点を極めるや否や、今度はヨーロッパから入って来た論理実証主義という思想がそれを飲み込むような形で広がっていく。

論理実証主義についてここで詳しく書く余裕はないが、一言でいうならば、言語に関する論理分析を重視し、かつ経験において実際に観察され、検証されたことだけを有効な認識ととらえる立場である。ネオ・プラグマティズムはこの論理実証主義に対抗する形で展開していったということもできるだろう。

実際、中心人物とされるクワイン、ローティ、パトナムのいずれもが、何らかの形で論理実証主義とのかかわりを持っている。論理実証主義とプラグマティズムの最大の違いは、前者が真理に価値的なものを含めようとしない点である。しかし、ジェイムズのプラグマティズムのところで見たように、そうした事実と価値との二分法こそが、プラグマティズムにとっては受け入れがたい前提なのである。とりわけローティやパトナムの主張にはその点が強くにじみ出ている。

かくしてローティは、客観的真理とは人々が連帯という形で共有し得る信念にすぎないとして、「客観性とは連帯の別名である」というテーゼを掲げるに至る。他方、パトナムもまた、いくつかの思想的変遷を経た後、事実と理論と価値判断の三者は互いに結びついているとして科学主義を否定し、自然的実在論という立場を掲げるに至る。

こうして彼らは、「新世界」に芽生えた自己意識を論理実証主義から守ると同時に、さらに精緻なものにしていったということができるだろう。二一世紀の今もプラグマティズムが生きた思想として研究され、進化し続けているのは、ネオ・プラグマティズムによるプラグマティズムの精緻化のプロセスの賜物だといってよい。

†ニュー・プラグマティズム

他方、最近の「ニュー・プラグマティズム」の潮流もまた、その精緻化のプロセスの延長線上にあるといっていいだろう。ちなみにこの名称は、二〇〇七年にオックスフォード大学出版局から出版された『新しいプラグマティスト(New Pragmatists)』という論文集に由来するものである。その編集を務めたミサックは、まさにローティらのネオ・プラグマティズムを俎上に載せ、それを批判的に検討することを宣言している。その際注目すべきなのは、パース、ジェイムズ、デューイといった古典的なプラグマティストを再評価しようという視点を持っている点である。

二一世紀は危機の時代である。テロ、経済格差、金融危機、環境問題、パンデミック等々。超大国アメリカでさえその危機の真っただ中にいる。その時私たちは、事態をどうとらえ、どう説明し、さらにはそれらを踏まえてどう行動に出るか迫られる。プラグマティズムはそうした危機においてこそ力を発揮する。前述のミサックはその点を鋭く指摘している。

プラグマティズムの核となる思想は、人間の陥る困難な状況についてのものである。私たちは、自分の認識論的な規範と基準を含む実践や概念を説明しなければならないし、まさにそれらの実践や概念、規範、基準を用いなければならない。これこそがプラグマティストの責務であり、これまで見てきた通り、プラグマティズムの伝統の中には、この責務を果たそうとする様々な方法がある。（シェリル・ミサック『プラグマティズムの歩き方　下巻』加藤隆文訳、勁草書房、二二四頁）

そう、実践としての哲学であるプラグマティズムは、私たちを救うための責務を果たそうとしているのだ。その際、とりわけアメリカでは危機に陥るたび建国の精神に立ち返るのと同じように、アメリカを支えてきた精神的支柱たるプラグマティズムもまた、危機に陥るたびに古典的プラグマティズムに立ち返ろうとするのかもしれない。「新世界」という自己意識は、今こそ見直される必要があるといえよう。

さらに詳しく知るための参考文献

伊藤邦武『プラグマティズム入門』（ちくま新書、二〇一六年）……歴史的変遷を意識しながら、プラグマティズムという思想の全体を網羅的に解説した最良の入門書。ネオ・プラグマティズムやニュー・プラグマティズムに関しても詳しく紹介されている。

加賀裕郎・高頭直樹・新茂之編『プラグマティズムを学ぶ人のために』（世界思想社、二〇一七年）……人物別の紹介だけでなく、現代的トピックごとにプラグマティズムの展開を論じている入門書。文献案内もついており、情報が豊富。

シェリル・ミサック『プラグマティズムの歩き方　上・下』（加藤隆文訳、勁草書房、二〇一九年）……ニュー・プラグマティズムを牽引する著者による、体系的なプラグマティズムの解説本。二一世紀の視点からプラグマティズムを理解するには最適の書。

『現代思想　特集　いまなぜプラグマティズムか』二〇一五年七月号（青土社、二〇一五年）……やや高度ではあるが、プラグマティズムの現代的意義がよくわかる論考が集められている。少し難しい内容に挑戦したい人にお薦め。

第8章

スピリチュアリスムの変遷

三宅岳史

1 スピリチュアリスムの歴史的背景

†フランス革命が残したもの

フランス革命は、身分制や封建制といった旧体制（アンシャン・レジーム）の打倒、宗教による精神的支配からの解放を掲げて、自由や平等といった光をもたらしたが、それに劣らず深い闇をもたらした。とくに深刻だったのは、理性に基づくはずの革命が恐怖政治や独裁を導き、フランスに平和や安定よりも殺戮と動乱をもたらしたことである。

その後フランスは、伝統的価値を守る勢力（王党派やカトリック教権派）と革命の成果を継承する勢力（共和派や反教権派）という「二つのフランスの争い」に引き裂かれ、その分裂にほぼ一世紀、苦しみ続けることになる。フランス革命が残した社会の不安定化にどのように向き合うかという問題が、一九世紀フランス哲学の大前提となる。本章で扱うスピリチュアリスムも例外ではなく、その変遷にはこの問題がつねに控えているのである。

†「スピリチュアリスム」という語をめぐって

さてスピリチュアリスム（spiritualisme）という語には、「イスム（…isme〔英語では…ism〕）」という語尾がついており、これは「〜主義」や「〜論」という思想上の立場を示している。この語は「唯心論」と訳されることもあるが、その場合には「実在するのは精神だけ」（精神一元論）という意味になる。確かにこの立場は精神を物質に還元することには反対するが、精神とともに物質なども実在として認める立場（二元論や多元論）も含まれるので、最近では「スピリチュアリスム」という表記があてられることが多くなってきている。

このように、哲学や思想の歴史には「〜主義」「〜論」という語がよく登場する。ここで注意しなければならないのは、これらは自分の考えや主張を示すために使われることもあるが、多くは相手を批判するために使われることもある、ということである。また後の世から「〜主義」という語が過去の歴史に対し回顧的に適用されることもあり、しばしばこの語は哲学者本人の意図をこえて（意図に反して）、流布することがある（より詳しくは、川口「一九世紀フランス哲学の潮流」を参照）。

ここでふれるスピリチュアリスムも、その傾向を多分に有している。哲学史ではスピリチュアリスムというと、メーヌ・ド・ビラン（一七六六〜一八二四）からベルクソン（一八五九〜一九四一）を含む一九世紀から二〇世紀までのフランスの思想的系譜とまとめられてきた。しかしこれは便宜的なまとめでしかなく、その時代ごとあるいは立場や文脈ごとに、「スピリチュアリスム」という語はかなり異なる意味内容で用いられてきた。近年の研究によると、そこに確固とした思想の単線的発展よりは、多様な動きが認められ、それらの分岐や断絶、並列的発展、ときには後世からの牽強付会や他の思想的運動との交錯が指摘されている。本章でスピリチュアリスムの「変遷」として紹介したいのも、これらの思想的豊かさである（そのような文脈を踏まえた研究として、杉山直樹『ベルクソン　聴診する経験論』創文社、二〇〇六年などがある）。

†科学と宗教のはざまで

多様な動きを含んだ集合体であるスピリチュアリスムは、それゆえに明確な定義をするのが困難ではあるが、ここではその大まかな立ち位置を把握したい。一九世紀のフランスが大きく二つに分裂したのはさきほど見た通りだが、このことは哲学や思想にも影響した。一方には伝統を守る勢力があり、メーストル（一七五三〜一八二一）、ボナール（一七五四〜一八四〇）、ラムネー（一七八二〜一八五四）などの伝統主義者たちは社会統合の原理を神や聖なるものに求めた。

そこでは伝統的価値を維持しつつも現実に合わせてカトリックや伝統的社会を改革しようとする思想的運動が展開される。

他方でサン＝シモン（一七六〇～一八二五）やコント（一七九八～一八五七）は、理性に基づいた社会統合を目指し、彼らが旗印としたのは科学や技術であった。コントが社会学を構想したのは、まさに社会に秩序と進歩を与えるためであり、この流れはルナン（一八二三～一八九二）やテーヌ（一八二八～一八九三）などの科学主義に引き継がれていく。

スピリチュアリスムは宗教と科学のあいだで、対立する二つのフランスのどちらにも片寄らずに、両者の融和をはかるという立場である。科学に基づきつつ、科学では解明しきれない精神や生命的次元を解明するという基本的傾向がそこには見られる。とりわけ、実証科学との関係では心理学や生物学との関係が重要なものになるだろう。しかし当時、生物学という語は登場したばかりであり、心理学はまだ科学として成立していない。科学としての心理学の形成過程とスピリチュアリスムの変遷にも対立や相互浸透が存在するのである。

†カント哲学との距離

しかしながら、科学と宗教のあいだというのはあまりに大雑把な位置づけでしかないと言えよう。実際に一九世紀フランスにはスピリチュアリスムと類似した立ち位置にあるがスピリチュアリスムからは区別される思想的潮流が存在する。例えば、ルヌヴィエ（一八一五～一九〇三）、アムラン（一八五六～一九〇七）などの新批判主義やラシュリエ（一八三二～一九一八）、ラニョー（一八五一～一八九四）などの反省哲学などである。

これらの流派とスピリチュアリスムとの違いは、カント哲学を補助線に引くと分かりやすい。カントは純粋理性のアンチノミーなどの議論によって科学的知識が成立するのは現象のみであって、その背後にある物自体を論じる形而上学や実在論の可能性を否定した。新批判主義や反省哲学はカントの認識論的枠組みに沿っており、ルヌヴィエやブランシュヴィック（一八六九～一九四四）は現象にとどまり、物自体に遡行することを避ける。

一般にスピリチュアリスムはこのようなカントの帰結を回避して、実在（とりわけ精神や生命）に関する形而上学の成立を目指そうとする。科学では解明しきれない精神や生命の次元の探求というテーマがここに重なってくる。こうしたスピリチュアリスムの関心はドイツ観念論と重なるところがあり、実際に一部影響を受けている。しかし、スピリチュアリスムはドイツ観念論とはまた異なる道を通ってカントの乗り越えをはかろうとするだろう。

2　メーヌ・ド・ビラン

†観念学（イデオロジー）や生物学の影響

メーヌ・ド・ビランは革命期から帝政期を経て、王政復古の混乱の時代に地方や国の議員などを務めた。これらの仕事の合間にビランは哲学的思索を続け、それらは懸賞論文や日記、書簡などという形で残っている。生前出版した著作は『習慣論』（一八〇二年）など少数に限られ、懸賞論文の刊行を勧められるも、多くの原稿は未完のまま公刊には至らなかった。

彼の時代には、コンディヤック（一七一四〜一七八〇）の哲学が隆盛であり、その方法論はラヴォワジェの化学やラマルクの動物学など当時の科学に広く用いられていた。それは人間が生まれつきもっている生得的な観念を否定し、ロックの経験論をさらに徹底化して、人間の能力さえも感覚という単純な経験から発生させて説明するものであった。

コンディヤックの後にはデステュット・ド・トラシー（一七五四〜一八三六）やカバニス（一七五七〜一八〇八）が続き、トラシーはこの方法論を観念学（イデオロジー）と名づける。観念学の内容は心理学とも重なるところも多いがそこにはとどまらず、すべてを感覚経験に分解し、感覚経験からすべてを組み立てるという方法論的基盤を提供して、諸学問の統一をはかるという野心をもっていた。

ビランは自らの哲学の形成過程で、この観念学の影響を受けるとともに、生物学や医学の知見も取り入れている。当時、バルテズやビシャは物理化学に還元されない生命の独自性を実証的に研究し、生気論に基づいた生物学を新たな学問として確立した。これらを参照しながらカバニスは人間の思考を生物学の側面から分析する、生理学的観念学を展開した。

†自我の意志と身体の抵抗

一般にビランの哲学は三つの時期に分けられる。観念学の影響が強く残る『習慣論』までの前期、ビラン独自の哲学が確立される中期――『思惟の分解』、『直接的統覚』などの論文があり、『心理学の基礎』の執筆が中断される一八一二年あたりまで――、『人間学新論』などの宗教的要素が強まる後期である。中期はとくに「ビラニスム」と呼ばれる。

前期ではビランは観念学の影響内にあるが、すでに『習慣論』では彼独自の見解が現れている。彼は人間の経験を受動的な感覚と、能動的運動が関与する知覚に区別する。この区別は日本語でも「聞く」と「聴く」の違いに認められるだろう。うるさいと感じた街中の騒音になれるなど、感覚は反復により弱まる傾向がある一方で、同じ作曲家の似たような曲を聴くうちに曲名を区別できるようになるなど、知覚は反復により明晰さが強まる傾向がある。

人間を外から観察するにとどまる観念学は、ビランが注目する人間の能動性や意志の働きを明らかにできない。ビランは能動的な意志を自我の内的事実の観察に関連づけるようになり、彼独自の哲学（ビラニスム）が形成されることになる。

ビランによれば受動的な感覚と能動的な意志は区別せねばならず、前者から後者を発生させることはできない。外的な感覚器官を通さずに、意志的に運動する私の存在を感じることができるのであり、ビランはこれを「内奥感（sens intime）」と名づけたが、そこには必ず私の身体（固有身体）が意志に抵抗するものとして現れる。私の意志が身体を動かそうとするとき、その努力のなかでは、私の意志と身体の抵抗は区別されるが切り離すことはできない。ビランはこれを「原初的事実」と呼んで、経験の基本的な形式と見なす。

†心理学から形而上学へ

このような意識の事実のなかで、私の意識は原因、私の身体は結果とされる。ヒュームが論じるように外的な事実のなかには因果関係が観察されないとしても、ビランは内的な事実には産出原因としての私を認めるのである。ビランは同様にして、私が根源的事実のなかでは多様なものに対して「同一」なものとして現れることを示す。彼はこのようにして意識の事実に関する反省から、「原因」「実体」「同一」「時間」「空間」などといった原理的諸概念の形成を論じる。ビランは友人のアンペールとカント哲学について論じており、そのカントの知識は断片的なものであったらしいが、すでにここにはカントの議論を回避しつつ、自然や有機体、精神の実在へと迫ろうとする形而上学の形成を見ることができるだろう。

後期になるとビランは生物学的な有機的生と心理学的な人間的生の区別のうえに、さらに宗教的な精神的生を加える。自我の能動性を中心とした心理学のうえに人間学が置かれ、意志する私から派生する実体としての魂が信仰の対象として探求される。ここで意志する私は神の視点からすると有限であり、神の恩寵に対して受動的存在として現れるのである。

ビランは生前にほとんど著作を公刊しなかったこともあり、その影響は死後に静かに広がっていく。スピリチュアリスムだけでなく、現象学や反省哲学にとっても、後世の哲学者によって彼は何度も立ち返られ、捉えなおされる参照点となるのである。

心理学や生物学を踏まえながら精神の独自性を強調するというスピリチュアリスム的テーマはビランにも見ることができるが、彼は「スピリチュアリスム」という語を用いていない。スピリチュアリスムの始祖ビランという位置づけは、後世のヴィクトル・クザン(一七九二〜一八六七)以降によるものである(ビランについては、村松正隆『〈現われ〉とその秩序』東信堂、二〇〇七年を参照のこと)。

3 クザン

†王政復古と七月王政――フランスの立憲王政

ヴィクトル・クザンは混乱のやむことのない時代であった王政復古と七月王政の時代を哲学者および政治家として活躍する。ナポレオンの退場により王政が復活したものの、それはかつての絶対王政ではなく立憲王政であった。ここでさらに革命以前の旧体制に戻そうとする強硬王党派（ユルトラ）と、革命の理念を継承する共和派とが激しく対立した。クザンはその対立の中間で立憲王政を支え、哲学者としては二つのフランスを融和する思想――エクレクティスム、後にスピリチュアリスム――を示し、政治家としては教育の非宗教性（ライシテ）を推進する立場をとる。

†出発点としての心理学

クザンは自らの哲学を心理学から出発して、存在論や哲学史へと至るものとして描く。出発点とされる心理学は、哲学者にして政治家のロワイエ＝コラール（一七六三～一八四五）がフランスに導入したスコットランド学派、とくにトマス・リード（一七一〇〜一七九六）を踏まえたものであった。リードは近世哲学の前提にある観念の理論を批判する。観念の理論によれば、直接的に認識できるのは外的事物ではなく、外的事物を意識へと媒介する観念だけである。しかし、外界の実在性や自我の同一性などの常識は、理性が正常に働くための前提条件であり、常識から切り離された理性はこの条件を欠くため、ヒュームの懐疑論などの破壊的帰結を招くのである。

クザンのなかでは、この常識学派の議論と、原初的事実の観察から原因、実体、同一といった原理的諸概念を導くビランの哲学とが重なり合う。クザンの後継者の一人であるジュフロワ（一七九六〜一八四二）は、この内観の心理学を、自然科学と同様の厳密な科学として位置づけている。

クザン派の心理学は、当時、興隆していた実証主義から激しく批判された。コントは心理学自体を科学的ではないとして実証主義のなかに位置づけず、大脳に心理的機能をおくブルセの生理学を重視する。ブルセはガルの骨相学の影響を受け、精神が脳の複数の機能に還元されるとしてクザンを批判した。クザン派からはジュフロワやガルニエ（一八〇一〜一八六四）が精神は全体的に機能し、脳に還元されないと反論する。精神の独自性と脳をめぐる論争は、のちにベルクソンを経て、現代でも重要な哲学的問題であり続けている。

†非人称的な理性の自発性

さてクザンは、心理学と存在論を橋渡しするのは意識のなかにある理性的事実であると論じる。ここではビランと異なり、この理性は個人的な理性ではないとされる。個人に先立って、すべての人間に共有される非個人的(非人称的)な理性そのものの「自発性(spontanéité)」が作用しており、個人の反省的理性はその後に来るのである。

この自発性はクザン哲学の重要概念であり、これこそが理性的事実から実体と因果の普遍的な法則を導き出すものである。また理性的事実のなかに、有用性(科学と産業)、正義(国家)、美(芸術)、完全性(宗教)という観念が見出され、それが歴史のなかで確認される。哲学も歴史のなかで形成され、感覚主義・観念論・懐疑主義・神秘主義という四類型の連鎖が世界の歴史の随所に見出される。クザンは『哲学的断片』(一八二六年)でこれらの対立を調停する思想をエクレクティスム(折衷主義)と位置づけ、自らの哲学の旗印にする。またクザンの影響により哲学史や翻訳がフランスの伝統に根づくことになる(ルフラン『十九世紀フランス哲学』参照)。

このように理性が動的に歴史のなかで展開されるという発想には、とくにヘーゲル哲学の影響があるといえるだろう――クザンの生涯については紙幅を割く余裕がないが、ドイツ旅行の際に彼はヘーゲルと出会い、文通を続けている。ただクザンは、事実としての心理学から出発する点で、存在論からはじめるドイツ観念論と自らの哲学の違いを見ている。理性的事実による心理学と存在論の接続によって、カントが不可知とした物自体（実在）の把握が可能になる。カントの哲学は反省的理性に根差しているが、それ以前に存在する非個人的理性の動的な自発性を見落としており、これが実在の把握を可能にするとクザンは考える。

†教育の非宗教的政策の推進と講壇哲学の形成

七月王政期にはクザンは政治家として、数々の重要な制度の設置を行う。フランスは現在でも高校に哲学科目が存在する珍しい国だが、これはクザンによるものである。また一九世紀フランスでは教育の主導権をめぐって、カトリック勢力と共和派が激しく争ったが、クザンは公立小学校をすべての市町村に設置する「ギゾー法」（一八三三年）の制定につとめた。

さらに彼は師範学校――一八四七年に高等師範学校（エコール・ノルマル・シュペリウール）と改称――の制度を改革する。文学と科学に教授資格試験（アグレガシオン）を設置し、これは一時の中断をのぞき現在まで存続している。これも非宗教的な教育政策の一環であるとともに、クザンはこの試験の委員長をつとめたため、強力な人事権をふるい、その後も高等師範学校はクザン派の講壇哲学の牙城となっていく。例えば実証主義の人脈はながらくアカデミズムから排除されていたが、このことも両派の対立の一因となった。

さて、変動の激しい一九世紀フランスでは、クザンの権勢も永続しなかった。一八四八年の二月革命で第二共和政が成立したのに続き、その四年後に第二帝政が成立したが、帝政への忠誠の宣誓を求められたクザンの弟子たちはこれを拒んで亡命する者たちも多く、クザンは引退を迫られる(事実上の解任)。そしてクザン派の退潮に伴い、その旗印であったエクレクティスムに代えて、スピリチュアリスムが用いられるようになるのである。

4 ラヴェッソン

†転換期としての第二共和政および第二帝政——台頭する物質主義

第二帝政の成立はクザン派の落日を招いた。それればかりか、ナポレオン三世の帝政を承認した人類教のコントと、科学主義へと向かうリトレ(一八〇一〜一八八一)をはじめとするコントの弟子たちは袂を分かち、実証主義の内部分裂をも招く。このように第二帝政および、その原因となった一八四八年の革命はひとつの転換点となるのだが、これはフランスだけではなく、ヨーロッパでも同様であった。

ドイツではすでに一八三〇年代にドイツ観念論と自然哲学、ロマン主義が徐々に衰退し、フォークト、モレショット、ビュヒナーの唯物論的自然科学や一八四八年のマルクス『共産党宣言』に象徴されるように唯物論が台頭する。またダーウィン『種の起源』(一八五九年)の進化論は自然科学のみならず、キリスト教世界観を大きく揺るがした。

第二帝政では産業革命がフランスで飛躍的に進展し、鉄道網の整備や都市整備、万国博覧会の開催など物質的繁栄が人々を魅了し、産業が社会秩序を支えていく。それに伴いサン=シモン教会やコントの人類教など一九世紀前半の新宗教の運動はしぼんでいく。

これらの結果、実証主義や科学主義は勢力を拡大する。スピリチュアリスムもこのような情勢のなかで、その変遷を続けることになるだろう。クザンの頃には教育政策などをめぐり、カトリックとスピリチュアリスムは強い緊張関係にあった。しかしこの時期になるとカトリックとの緊張関係は背景に退くか、別質のものになり、実証主義や唯物論との緊張が強くなる。ちなみに一九世紀後半は国民国家の意識が強まる時期でもあり、「フランス・スピリチュアリスム」と国名を冠した用法もこの頃から増大する。

†スピリチュアリスムの世代交代?

フェリックス・ラヴェッソン(一八一三~一九〇〇)は名門貴族の家系で、精神科学・政治科学アカデミーの懸賞論文を二二歳のときに受賞、それをもとに二年後には『アリストテレス形而上学試論』第一巻(一八三七年)を出版した。その前年には二三歳で教授資格試験を首席通過し、二五歳で博士論文『習慣論』(一八三八年)を提出した。

その才能にクザンも注目したが、両者はそりがあわず決裂し、ラヴェッソンは教授職につかずに、図書館総監督官などの行政職へ進む。第二帝政成立でクザン派が衰退したときに、今度は非クザン派のラヴェッソンが教授資格の審査といった強い人事権と影響力を行使できる立場となる。その彼が万国博覧会の報告『一九世紀フランス哲学』(一八六八年。邦訳については本章末尾の参考文献を参照)で、自らのスピリチュアリスムと区別してクザンを「半端なスピリチュアリスム」と非難し、さらに「スピリチュアリスム的な実在論ないし実証主義」という新たな世代の到来を予見する。党派的内容を含むこの非難を額面通り受け取ることはできないものの、周囲には世代交代を印象づける出来事となる。クザンとラヴェッソンの思想が実際にどれほど異なるかはまた考察すべき問題であろう。

†習慣と非反省的自発性

ラヴェッソンが研究の出発点としたアリストテレスの形而上学は彼にとって重要であり続けた。彼がそこで重視するのは、神から人間を経て動物、物質へと下降するような最高位から最低位へといたる存在の連鎖という観点であり、また実体は空疎な観念でも無規定な質料でもなく、生きた個体のうちで働く活動である、という観点である。ただし、これらのアリストテレス理解にはライプニッツの哲学（連続の原理や力動論）が重ね合わされている。『習慣論』では、メーヌ・ド・ビランの議論がこのアリストテレスおよびライプニッツの存在論に接続される。ビランの習慣が能動性（知覚）と受動性（感覚）の二元性を有していたのに対し、ラヴェッソンはこれを一元的に理解する。能動性を強め、受動性を弱めるのは別々の原理ではない。彼は習慣の根底に、意志や人格を出て有機組織の受動性のうちに次第に浸透する「非反省的自発性」が働いているのを見る。この同時に受動的で能動的な自発性は、自然へと侵入・定着し、鉱物の結晶や、単純な有機体からより複雑な有機体を経て、真善美や神の恩寵へと至る動的かつ目的論的な展開と捉えられる。

ここでは自発性が心理学から存在論への橋渡しをする、というクザンの反カント的枠組みが踏襲されている。ただしクザンの存在論の内実が哲学史的であったのに対し、ラヴェッソンの存在論は自然哲学の色が濃い。ここにはクザンはヘーゲルに、ラヴェッソンは後期シェリングの積極哲学に影響を受けたという違いを見ることもできるだろう。

†「スピリチュアリスム的実証主義」に込められたもの

さて、『一九世紀フランス哲学』の結論で述べられる「スピリチュアリスム的実証主義」にはクザン派への批判が込められていただけではなく、第二帝政になって興隆しつつあった実証主義や唯物論への対抗あるいは、科学的世界観と宗教的世界観との調和が託されていたと考えられる。前期コントに見られるように実証主義は唯物論や機械論と親和的な一面はあるものの、人類教の後期コントやシェリングの自然哲学に見られるように宗教やスピリチュアリスムと親和的な実証主義や実証科学といったものも可能なはずである。スピリチュアリスム的実証主義とは、一つの固まった理説を示したというよりは、むしろこれから解かれるべき一つの問題設定を示したものだと解することができるかもしれない。

5　ベルクソン

†第三共和政——二つのフランスの対立から安定へ

第二帝政は普仏戦争の敗北によって一八七〇年に瓦解する。その後に成立した第三共和政は不安定であったが、八〇年代には徐々に安定する。九〇年代後半はフランス陸軍大尉のユダヤ人ドレフュスへの冤罪スパイ疑惑をめぐり、再び国論が二分されるものの、結局は「政教分離法」（一九〇五年）の成立で長きにわたる二つのフランスの争いは沈静化する。

科学的世界観が生活に浸透すると同時に、すべてが機械のように決定されているとしたら人生に意味はあるのかという決定論と自由の問題が一九世紀後半のヨーロッパで焦点化される。生理学者デュ・ボア＝レーモンは一八七二年の講演で、すべてを正確に観測し、あらゆる法則を知った精神を「ラプラスの霊」とよび、決定論的世界観の問題を提起していた。

†時間と自由

ベルクソンはユダヤ系ポーランド人の音楽家の父とイギリス人の母の間に生まれたが、彼は一八八九年の博士論文『意識に直接与えられたものについての試論』（英訳名『時間と自由』）でこの決定論と自由の問題を扱うことになる。まず彼もビランやクザンと同じく心的な事実から出発する。ただし彼がそこに見出すのは習慣や努力ではなく、メロディーを聴くときに音が連続的な流れのなかで互いに溶け合うような質の経験である。ベルクソンは質の流れとしての時間の在り方を「持続（durée）」と呼ぶ。これはベルクソン哲学の最重要概念であり、ビランの原初的事実と同じく持続は意識が直接体験する事実である。

彼は持続を座標軸で表されるような量的な空間と区別する。われわれは時間も空間の長さと同じく計測できると思っているが、そのとき持続は本質である動的な流れを失って不動化されており、もはや持続ではなく空間に変質している。正確に計測できるときに科学が可能ならば、科学は持続を変質させることでしか扱うことができない。

ベルクソンは持続を用いて自由の問題を論じる。自由論者は私がOにいてXかYに行くかを選択できるので私は自由だと言うだろう。このとき決定論者はあらゆるデータと法則を知っていれば私の思考は予見でき、決定されていると言うだろう。ベルクソンはこれらの議論はOXやOYの分岐道の選択を前提としているが、これは意識の事実である持続を不動化し、空間化しているという点で間違っていると論じる。持続の流れのなかにはXやYは存在せず、流れと共に新たなものが創造されることになり、これこそが自由なのである。

†自然の持続化

『物質と記憶』(一八九六年)以降では、意識のなかだけでなく自然のなかに持続が拡張されていく。物質は非常に弛緩したリズムの持続をもつとされ、生物のなかでも単純なものは物質に近い弛緩した持続をもつが、人間に近づくにつれより緊張した持続になる。このように存在の連鎖が持続のリズムの緊張と弛緩で捉えなおされ、存在論が持続化される。心的事実から存在論への通路は持続によって用意されるのである。ここでもカント哲学と異なり、自由は叡智界へと隔離されず直接経験されるとともに、持続(時間)の直観が現象と物自体とを区別せずに実在へのアクセスを可能にしているのである。

†生命としての持続

『創造的進化』（一九〇七年）では、持続によって進化論が説明されるが、生命の進化の原理である持続はエラン・ヴィタルと呼ばれ、これはクザンやラヴェッソンの自発性に類似した概念である。ベルクソンはこれらの議論をするのに、実証科学の知見を集めつつ、それらでは説明不可能な点に、形而上学的仮説としてスピリチュアリスムを導入する。彼はこれを実証的形而上学と呼ぶこともあるが、ここにラヴェッソンのスピリチュアリスム的実証主義の展開を見ることもできるだろう。ただし、ラヴェッソンの予見のなかにすでにベルクソン哲学が含まれていたと言えば、それは言い過ぎになるだろう。ベルクソンが実証科学と形而上学を接続する方法にはラヴェッソンには見られない新しさが見られる。

†ひとつの問題の終わりと始まり

『道徳と宗教の二源泉』（一九三二年）では、閉じた社会をいかに開いた社会にするかということが課題になる。社会の安定化をもたらす連帯は閉じた社会に位置づけられ、問題の解決よりはむしろ問題を生み出すものと見なされる。第一次世界大戦を経験したベルクソンにとって敵を前提とした閉じた社会の連帯だけでは戦争を回避するのに不十分であり、産業の発展も販路を求めて争えば、平和ではなく世界戦争に至る。問題は国家の安定から世界戦争による人類絶滅の回避へと移っており、ここにひとつの問題の区切りを見ることもできるだろう。

†結び

本章ではスピリチュアリスムの変遷ということで何人かの哲学者を取りあげたが、紙幅の都合ですべてを扱えたわけではない。従来のスピリチュアリスムの系譜ではラヴェッソンとベルクソンの間に、ラシュリエを入れることもあるが、最近では反省哲学の祖として区別される傾向にある。しかし、もともと反省哲学とスピリチュアリスムは重なるところもあり、どれほど区別されるのかも今後の研究の動向によるところが大きく、まだ確定はしていない。またここでは、ブロンデル（一八六一～一九四九）、ル・センヌ（一八八二～一九五四）、ラヴェル（一八八三～一九五一）といったベルクソンと同時代やそれ以降のスピリチュアリスムの動向についても対象とすることはできなかった。

本章で扱えたのはごく限られた論点であり、ある学派のみを切り取ることは幾分か人為的な操作にならざるをえない。これまで述べてきたように一九世紀フランス哲学はスピリチュアリスムだけでなく、宗教や実証科学などと相互浸透している。それらはこれまではほとんどの哲学史では無視されてきた存在であったが、徐々にその豊饒さに光が当てられつつあり、それ自体の興味深さのために関心を惹きつつある（一九世紀フランスの別の系譜に光を当てたものとして、伊藤邦武『フランス認識論における非決定論の研究』晃洋書房、二〇一八年を参照のこと）。

さらに詳しく知るための参考文献

川口茂雄「一九世紀フランス哲学の潮流」（『哲学の歴史』8、Ⅳ章、中央公論新社、二〇〇七年）……本章では扱うことのできなかったラシュリエやラニョー、そのほかより詳しい歴史的な背景や各哲学者の生涯や思想を知ることができる。スピリチュアリスムを深く知るためには必読の文献。

フェリックス・ラヴェッソン『十九世紀フランス哲学』（杉山直樹、村松正隆訳、知泉書館、二〇一九年）……ラヴェッソンの独特の見解と客観的な整理とが入り混じったうえに膨大な情報量を含んだ厄介なテクストであるが、訳者による行き届いた註、人名索引、解説があり、この時期の思想の豊饒さを示す書となっている。

ジャン・ルフラン『十九世紀フランス哲学』（川口茂雄、長谷川琢哉、根無一行訳、白水社、文庫クセジュ、二〇一四年）……一つあたりの項目の説明量はおさえられているが、クザン派などについて細かいところまですくいあげて説明され、全体的に見通しのよい、よく整理された解説となっている。

増永洋三『フランス・スピリチュアリスムの哲学』（創文社、一九八四年）……本章では取りあげられなかったブロンデル、ラヴェル、ル・センヌの哲学について詳しい。

河野哲也「フランス心理学の誕生」（『エピステモロジーの現在』慶應義塾大学出版会、二〇〇八年）……フランス心理学が成立する過程がドイツ・イギリスの心理学も視野に入れつつ扱われている。スピリチュアリスムの展開と併せてみると視野がより広まる。

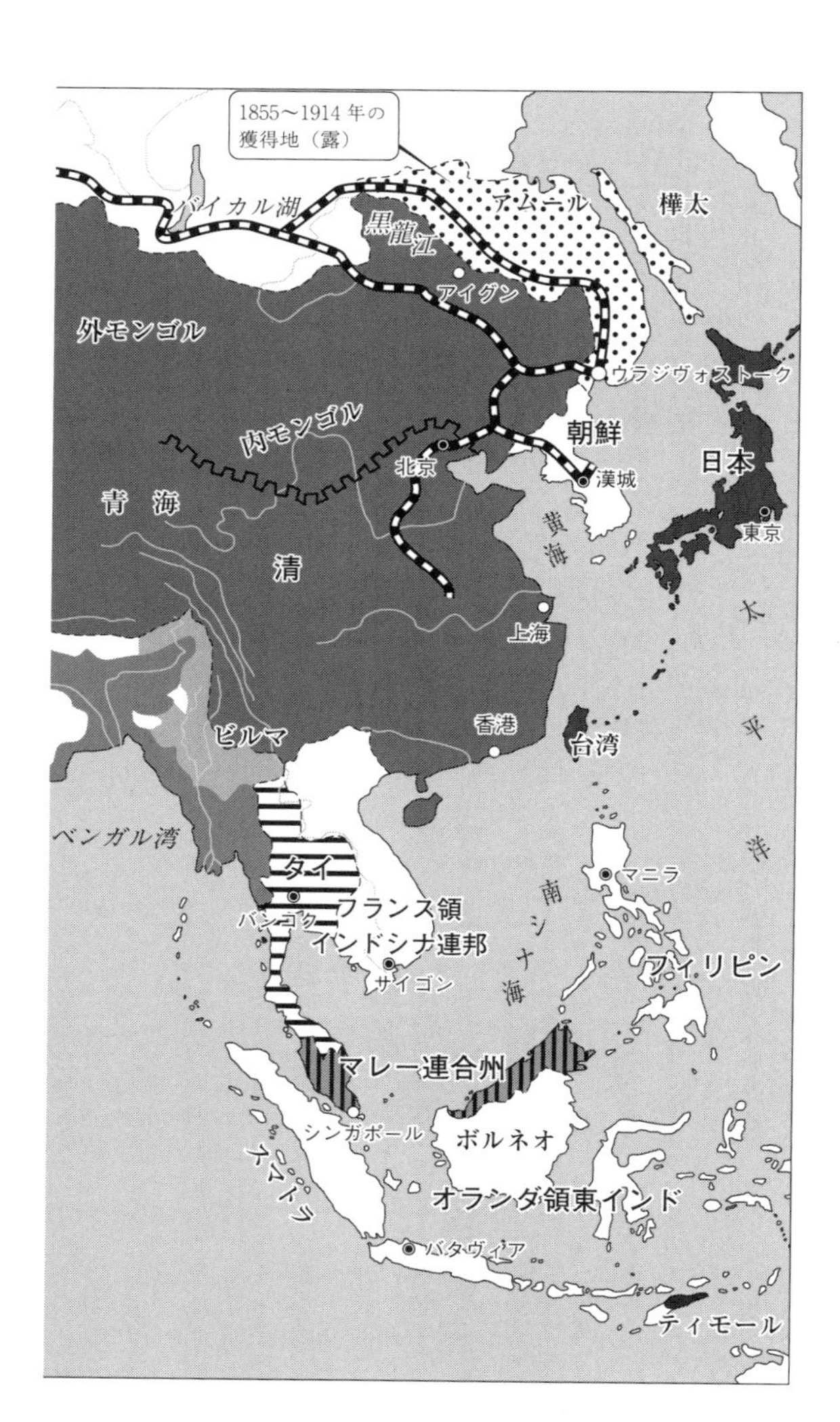

1855～1914年の獲得地（露）
バイカル湖
黒龍江
アムール
樺太
アイグン
外モンゴル
ウラジヴォストーク
内モンゴル
朝鮮
日本
北京
漢城
青　海
黄海
東京
清
上海
太平洋
香港
ビルマ
台湾
ベンガル湾
タイ
マニラ
フランス領インドシナ連邦
バンコク
南シナ海
サイゴン
フィリピン
マレー連合州
シンガポール
ボルネオ
スマトラ
オランダ領東インド
バタヴィア
ティモール

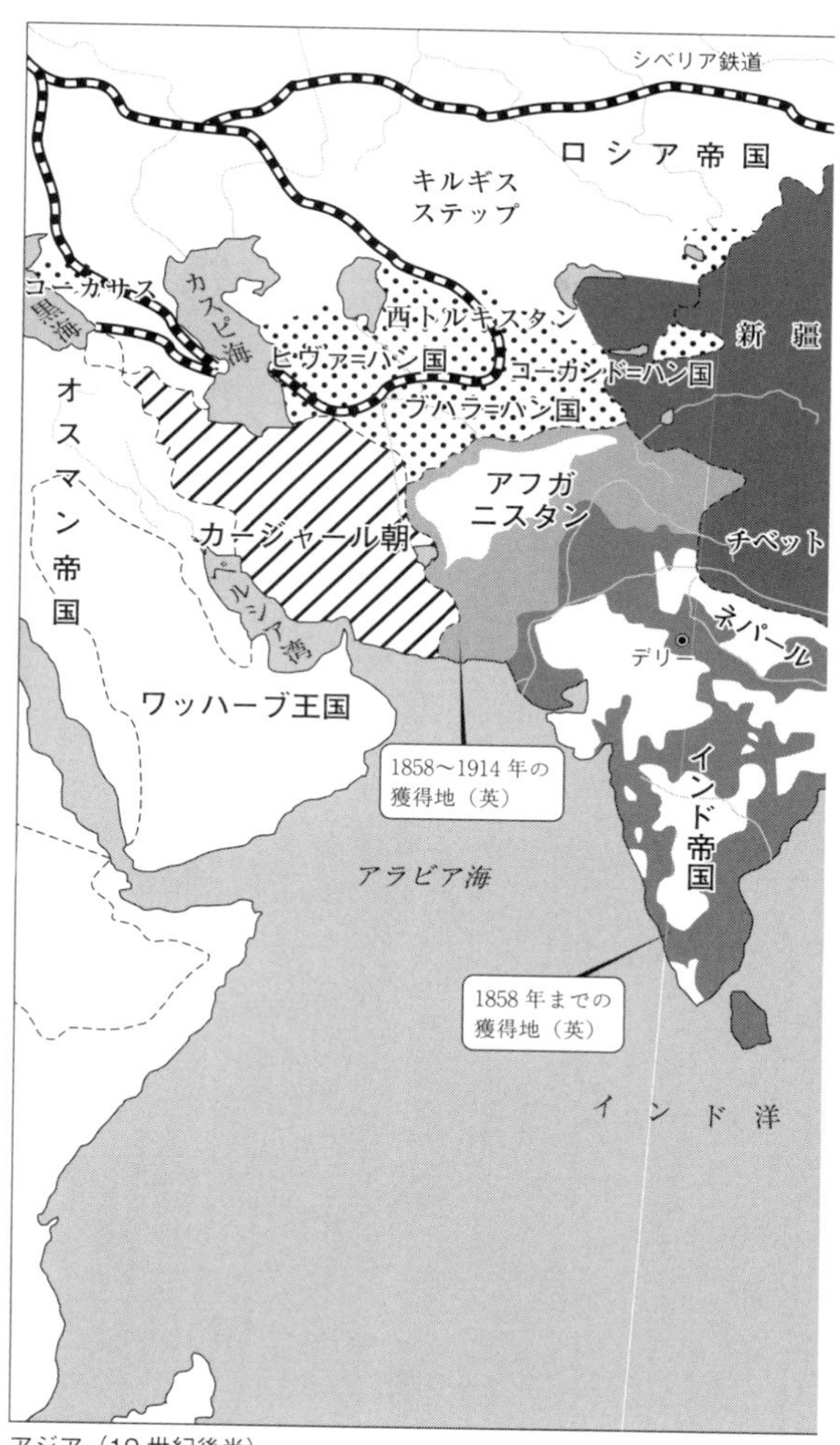
シベリア鉄道
ロシア帝国
キルギス
ステップ
コーカサス
黒海
カスピ海
西トルキスタン
新疆
ヒヴァ=ハン国
コーカンド=ハン国
ブハラ=ハン国
オスマン帝国
アフガニスタン
カージャール朝
チベット
ペルシア湾
ネパール
デリー
ワッハーブ王国
1858〜1914年の獲得地（英）
インド帝国
アラビア海
1858年までの獲得地（英）
インド洋
アジア（19世紀後半）

第9章 近代インドの普遍思想

冨澤かな

1 「近代」とインド、そして「宗教」

†インドの近代とは何か

インドの近代はいつ始まったか。実は難しい問いである。ただ、時代区分の適正さではなく、インド周辺で何をもって「近代」とみなされてきたかに焦点を合わすならば、それはやはりイギリス支配がもたらしたものとそこに生じた新たな動きということになるだろう。つまり、西洋の近代と東洋の伝統が対をなす基本構図が、どうしても浮かび上がることになる。そのため、近代インド思想史は、イギリスがもたらした近代化と、インドという「ネイション」の独自の伝統文化との狭間でどう自らを位置付けたかという視点で捉えられることになる。

そしてもう一つ、近代インド思想の重要な要素が宗教である。一八世紀後半にイギリス東インド会社がインド統治を始めた当初、彼らは簡便で摩擦の少ない統治形態を目指し、インドの宗教文化への介入を避け、むしろ「尊重」する方針をとった。この方針のもと、サー・ウィリアム・ジョーンズらのインド研究が始まり、そこではサンスクリット文献から読み取れる「古く高度な宗教文化」としてのインド像が重視されることとなった。そして、政治・経済で支配下に置かれたインド人には、イギリスが介入をためらった宗教文化だけが主体性を発揮できる特異な領域として残される形になり、ジョーンズらのインド研究が形成したインド像もその構図を後押しした。そこから、近代インドの思想や運動は、社会運動や独立運動も、みな宗教文化と関わりつつ展開する傾向を帯びてきたとされる（臼田雅之「「世俗の人」の宗教改革（ラムモホン・ラエ論）」『近代ベンガルにおけるナショナリズムと聖性』東海大学出版会、二〇一三年、第四章）。

本章で扱うのは、一九世紀から二〇世紀前半に展開したベンガル・ルネサンスと呼ばれる動きの一面である。イギリス支配下のベンガルには、首都カルカッタ（現コルカタ）を中心に、英語教育を受け新しい知識の力で旧来の社会階層から抜け出てくるボッドロロク（郷紳）と呼ばれる新たなエリート層が現れ、この動きの担い手となった。それはまさに、伝統の復古と近代化・合理化の組み合わせと見える現象であり（だからルネサンスと称される）、前に示した、西洋近代と東洋伝統の対峙の構図の巧みな応用であるように思われる。しかしその内実を見ていくと、そこにはそのようなオリエンタリズム的な二元論では説明しきれない面も見えてくるのである。

†近代批判と近代的宗教概念批判のジレンマ

オリエンタリズム論やコロニアリズム論により、当たり前で普遍的なものとして使われているさまざまな概念が実は西洋近代の構築物であると分析され、それを無自覚にその他の文化圏や時代にあてはめることの問題性と暴力性が批判されてきた。宗教に関しても、「宗教」、そして「信仰」「呪術」「儀礼」など、宗教研究で用いられてきた基本概念に根本的な疑問が呈され、近代的宗教概念批判と呼ぶべき議論が繰り返されてきた。重要な議論だが、しかし「西洋近代」の支配力を強調することで、近代世界の構築において非西洋世界が果たした役割が受動的なもの、被害者的なものに矮小化されかねないという矛盾もはらんでいる。

「近代」それ自体についても、西洋を核にした単一の像ではなく、多元的(マルティプル)な像で捉えるべきだとの議論がなされてきた。多くの多様な「近代」があるとすれば、「近代」は西洋の占有状況から解放されるわけだが、しかし、地域や文化にそれぞれの「近代」があるという発想は、文化相対主義に似て、意図に反して、世界をバラバラな小さなユニットに切り分けてしまうことにならないかとの不安もある。結局、東は東、西は西、になるほかないのだろうか。もちろん、「近代」のあり方や認識に多様性があるという認識は重要だが、その上で、

「多元的」というより、東も西も「重なり合う」オーバーラッピングなかたちで動的に成り立つ「近代」の全体を見ることはできないものだろうか。

本章では、西洋近代と東洋伝統の対峙の構図で語られるベンガル・ルネサンスの系譜に見られる、その対立図式を超える面を見ていく。まず「スピリチュアリティ」という英語語彙の用いられ方に着目し、そこから、合理的な西洋近代と神秘的な東洋伝統の対立図式におさまらない、「重なり合う」近代思想の一面を探っていきたい。

2 スピリチュアリティとセキュラリズム

スピリチュアリティ(精神性・霊性)とセキュラリズム(世俗主義)と並べると、それは異質な、対立する何かのように見える。しかしこの二語はむしろ、二つワンセットになって近代インドのアイデンティティの根幹に関わってきた語彙である。それはどちらも、宗教や思想の多様性の対立を止揚することを期待されている、普遍化の語彙と見られるのである。

†スピリチュアルでセキュラーな国

前に指摘したように、イギリス支配下のインド人の活動は、政治や社会への働きかけも宗教文化と関わりつつ展開する傾向を帯びてきた。さらに独立の実現にむけては、イギリスの分割統治策に抗して一つのネイションを形成し有効なナショナリズムを実現するため、インド人としてのアイデンティティが模索され、それはそれぞれの宗教伝統の認識や自覚を高めることになった。しかしそれはともすれば宗教の差異を際立たせるものであり、この時代、ことヒンドゥーとムスリムは、時に協働しながらも、緊張と対立をむしろ高めていくこととなる。この、コミュニティ間の差異に起因する対立・排除の思考がコミュナリズムである。インドでは、独立運動の頃から、コミュナリズムに抗して「インド」を統合する原理として、セキュラリズムが求められることになった。その後、インドの独立が東西パキスタンとの「分離」の悲劇を伴ったことで、「ムスリム国家」パキスタンと「セキュラー国家」インドの対立の図式が、この語に一層の重みを与えた。

セキュラリズムはインドの国是というべきもので、一九七六年には憲法にも明記されている。インドのセキュラリズムは、例えばフランスのライシテとは大きく異なり、政教分離の訳語では説明しがたいものだ。典型的な例として、インドの休日を見ると、ほとんどが宗教の祭日に基づいている。ただしそこには、人口の八割を占めるヒンドゥーイズムから、一パーセントにも満たない仏教やジャイナ教のものまで含まれる。インドのセキュラリズムは公的空間から宗教を排除するのではなく、等しく尊重しあうことを建前としているのである。それゆえ、宗教的であることと世俗的であることが、決して矛盾しない関係にある。そこではむしろ、差異を越えて共有しうる宗教性が求められるのである。

そして、インドの宗教性を示す語彙として、一種のクリシェとなっているのがスピリチュアリティである。「インドのスピリチュアリティ」や「神秘の国インド」はおなじみのイメージである。これは外部からのオリエンタリズム的インドイメージに見えるが、インドのアイデンティティにとっても重要な要素であるとして、このように指摘される。

興味深いことに、ロマン主義的インド観の特徴である「神秘」と「精神性（スピリチュアリティ）」の強調は、現代の西洋のインド観に広まっているのみならず、描写の対象であるところのインド人自身の自己認識にも大きな影響をもたらしている。……このような現象の好例が、ヴィヴェーカーナンダやモーハンダース・K・ガーンディーといった人物であろう。ヴィヴェーカーナンダは……これが近代西洋文明のニヒリズムや物質主義に対する処方箋となるとした。（Richard King, *Orientalism and Religion: Postcolonial Theory, India and* 'The Mystic East,' London, New York: Routledge, 1999, pp. 92–93）

ヴィヴェーカーナンダ（ベンガルの発音ではビベカノンド〔以下、併記はベンガルの発音〕、一八六三〜

一九〇二)は、宗教的社会奉仕団体ラーマクリシュナ・ミッションおよびラーマクリシュナ・マット(僧院)の創始者であり、一八九三年のシカゴ万国宗教会議に出席し世界に大きなインパクトを与えた宗教者であり、ベンガル・ルネサンスを代表する人物の一人である。

この文章の著者キングは、彼やガーンディーの「スピリチュアリティ」の重視を、西洋のオリエンタリズムの肯定的利用と捉えている。「神秘のインド」「スピリチュアルなインド」というオリエンタリズムの典型ともいうべきイメージを逆手にとって西洋への対抗上有効な語彙として用いた、いわゆる「肯定的(アファーマティブ)オリエンタリズム」という理解だ。重要な指摘だが、しかし、この図式は、価値観の反転という戦術はくみ取っていても、西洋近代と東洋伝統の対立図式を超え出ることはないものだ。結局インドのスピリチュアリティ概念はこの枠組みにおさまるものなのだろうか。また、インドのセキュラリズムが単純な政教分離と異なることは指摘したが、ではそれは世界の他地域、特に欧米のそれとは異質な別個のものということになるのだろうか。セキュラリズムもスピリチュアリティも、東西の分離を超えない概念なのか、そこに疑問が生じるのである。

セキュラリズムとスピリチュアリティはともに、近代インドのアイデンティティに深く関わる概念であり、それぞれに多くの研究が重ねられてきた。しかし実はこの語彙そのものがいつどのように使われたかについては、決して明らかになっていない。そこで筆者は、単純に語用を数えてみることから、その用法を考えるアプローチを行っている。ここではヴィヴェーカーナンダ周辺の「スピリチュアリティ」の用例を概観することとしよう。

†ヴィヴェーカーナンダの「スピリチュアリティ」利用を探る

ヴィヴェーカーナンダのスピリチュアリティの用例を見てみると、二つの傾向が見て取れる。一つはこの有名な文言のタイプである。

> 立ち上がれインドよ、その精神性（スピリチュアリティ）で世界を征するのです……物質主義とその悲惨を物質主義で征することはできません。……精神性が西洋を征服しなくてはならないのです。（*The Complete Works of Swami Vivekananda*, 9 volumes, Calcutta: Advaita Ashrama, 1989–97, vol. III, p. 277）

西洋近代のマテリアリズムと、東洋伝統のスピリチュアリティを対置し、後者の優位を主張する構図である。これはまさに、オリエンタリズムの逆転的利用、肯定的オリエンタリズムと見える。しかし一方で、ヴィヴェーカーナンダは例えばこのようにも語っている。

ヒンドゥーの民は精神の研究、つまり形而上学と論理学を通して歩んできました。一方ヨーロッパの諸民族は、外的自然の研究から始め、そして両者は今、ともに同じ結論に至りつつあります。精神の探究によって我々は、ついには、かの一者、普遍的一者、あらゆる内なる魂、あらゆる本質と実在、永遠なる自由、永遠の祝福、そして永遠の存在に至ります。そして物質科学を通じて我々はまた、その同じ一者へと至るのです。(*Ibid.*, vol. II, p. 140)

これも東西の対比の構図を示しているようには見えるが、前の発言と大きく異なるのは、どちらかがどちらかに勝るという印象を消し、両者の目指すものが同一だとする、普遍主義的・多元主義的な主張になっていることである。ここではインドの精神性とヨーロッパの物質科学は矛盾、対立する関係にはなく、ともに同一の普遍的な何かに向かっていると強調される。

この語り口の違いは何に起因するのかと問えば、それは彼の発言の文脈であろう。第一の発言は、一八九七年にマドラスで行われたとされる講演「我々がすべきこと(The Work Before Us)」の、第二の発言は一八九六年にロンドンで行われた講演「絶対性と現象(The Absolute and Manifestation)」のものである。実は、第一の発言のように、東西を対置した上で東洋のスピリチュアリティの優位を語るものは必ずしも多くなく、それはイギリス支配の圧力のもとで自らのアイデンティティを模索するインド人を鼓舞しようとする文脈でこそ現れる傾向がある。

そして、もう一方の、西洋近代の科学的思惟と東洋伝統の宗教的思惟との対立構図をスピリチュアリティという語を用いて解消し、同一の普遍的価値の探求という構図にまとめあげようという論の方が、彼のむしろ基本的な語り口であったと見えるのである。もちろん、東西の対立や乖離を超える普遍的価値を、他でもないインド固有のスピリチュアリティからくみ上げようというのは、難しい矛盾を含む試みである。しかしこの、普遍性と固有性の希求こそは、近代の各地で試みられたことであり、こと近代インドで集中して行われたことであったと思われるのである。

このような、普遍化の語彙としての「スピリチュアリティ」利用は、現代の我々にはある意味なじみ深い。spirituality という英語語彙はそもそもはもちろんキリスト教と深く結びついているが、現代におけるこの語は、キリスト教から離脱し宗教多元主義の方向に開かれ、宗派の壁を超える新しい宗教性を示す語彙として独り立ちしてきた。それは既存宗教の枠組みを超え、さらには宗教と科学や世俗的価値観との往還もかなえるものとして用いられる。このような現代のスピリチュアリティ概念は比較的新しいものだが、しかしスピリチュアリティが対立概念や異なる枠組みを架橋するという発想自体は、一九世紀末のヴィヴェーカーナンダの用法の内にすでに十全に見て取れる。ではヴィヴェーカーナンダは、いかにしてこの語彙のこのような用法に行き着いたのだろうか。

†インドの「スピリチュアリティ」を数える

それを探るため、この語がいつどれほど用いられているのかを調べてみた。すると興味深いことに、ヴィヴェーカーナンダの前の世代のインドでは、この語彙は決して一般的ではなかった可能性が高いとわかった。ベンガル・ルネサンスの動きを代表する宗教社会改革団体、ブラーフマ・サマージ（ブランモ・ショマジ）については後に触れるが、この協会を設立し、ベンガル・ルネサンスの幕を開けたラームモーハン・ローイ（ラムモホン・ラエ、一七七二／七四〜一八三三）の英語著作全集では、ローイ本人は一度も用いていなかった。また、一九世紀後半にブラーフマ・サマージで大きな役割を果たしたケーシャブ・チャンドラ・セーン（ケショブ・チョンドロ・シェン、一八三八〜一八八四）については、四つの著作集で確認したに過ぎないが、二冊で各二件、一冊で四件、最多の一冊で九件が確認されただけであった。

これに対して、ヴィヴェーカーナンダの英文全集全九巻では、約一四〇〇本のテキスト中に、一度でもこの語彙を用いているものが約一四〇本あった。先駆者二人に比べ、彼のこの語彙の用例がはるかに多いことがわかる。そこでさらに、彼がこの語をいつ多用しているかを探ってみたところ、一八九六年と九七年に集中していることがわかった。回数、頻度とも特に集中して用いている一四文書一一文書がこの二年に集中していた。これは、ヴィヴェーカーナンダの

第一回の欧米渡航の最終年とインドに帰った年にあたる。一方、彼が普遍宗教論を展開し、世界にその名を響かせたシカゴの万国宗教会議が開催された一八九三年には、ほとんど用例がなかった。彼はこの段階ではまだこの語の有用性を感じておらず、一八九六年頃になって初めて意図して使い始めたものと思われる。では、彼はなぜこの時期にこの語彙を、有用な語彙として認識したのだろうか。

†欧米の「スピリチュアリティ」を数える

まず考えるべきはやはり欧米滞在の影響であろう。当時の欧米で普及していた用法を吸収しこの段階で活用し始めたという可能性だ。「肯定的オリエンタリズム」との指摘にも合致することになる。しかし、そうであるならば、この時点でこのような用法が欧米で普及していなければならない。果たしてそうか、いくつかの例にあたったところ、実はその可能性は必ずしも高くないことがわかった。もちろん、一九世紀末の欧米の宗教文化論の全体を総覧することは到底できないが、その中で、普遍宗教論、宗教多元論を語り、後にスピリチュアルと称されることが多く、ヴィヴェーカーナンダとの関係もありうるいくつかの著作をピックアップしてみた。

シカゴの万国宗教会議は、宗教多元主義的・普遍宗教的思想が語り合われた、まさにスピリチュアリティ論にふさわしい場であるが、八〇〇ページを超える会議録中で確認できた用例はわずか二例であった。神智学協会のブラヴァツキー夫人やオルコットの著作では、用例はあるもののヴィヴェーカーナンダに比べればはるかに少なかった。ブラーフマ・サマージ周辺に大きな影響を与えたユニテリアン的宗教者、セオドア・パーカーの著作集全一五巻でも確認できたのは一〇件だった。やはりユニテリアンから出発し超越主義思想を展開したラルフ・ウォルド・エマソンの全集でも、この名詞は編者である息子による注記中の一カ所しか発見できなかった。また、諸宗教の比較研究から比較に基づく宗教の科学たる宗教学の成立を宣言したマックス・ミュラーについても相当数の著作を調べたが、この語の使用はごくわずかであった（冨澤かな「「インドのスピリチュアリティ」とオリエンタリズム――一九世紀インド周辺の用例の考察」『現代インド研究』三号、二〇一三年）。

もちろん当時のスピリチュアリズム（心霊主義）の高まりなどを考えれば、一九世紀後半の西洋世界においてマテリアルなものと対をなすスピリチュアルなものへの傾倒も、それを科学と矛盾しないものとして論じる傾向もすでに明らかである。しかし、ではそこでspiritualityという名詞が広く用いられていたかといえば、意外にも疑わしいのだ。ヴィヴェーカーナンダ滞在時の欧米で、この語彙が新たな含意をもって普及していたのか、大いに疑問なのである。

だとすれば、ヴィヴェーカーナンダが一八九六年頃にこの語彙の新たな用法の有用さに行き当たったのは、欧米のオリエンタリズム的クリシェを引き受けて価値づけを転倒させたわけではなく、彼自身の新たな発見であった可能性がある。この英語語彙の今に続く新たな語用を、欧米に先んじて創出していたかもしれないのだ。つまり、スピリチュアリティという「近代的宗教概念」は、西洋近代が構築しインドに押し付けたものではなく、東西が交わる中でインド人が見出したものだったということになる。もしそうならば、これは西洋近代と東洋伝統の単純な対立構図では説明できない現象である。西洋＝近代の強固なつながりがほぐれ、「重なり合う」ことで成り立つ近代の像が浮かぶ可能性が期待されるのである。

3 ブラーフマ・サマージの系譜——普遍と固有の希求とその焦点

ヴィヴェーカーナンダのスピリチュアリティの用法に見られる、東西の対立を超える普遍性をインドの内から見出そうとの努力は、ベンガル・ルネサンス全体に通底するものでもある。そこにはイギリス支配下で西洋文化と日々向き合う状況とともに、インド自体が抱える多文化状況が深く関わっている。インド内の多様性と世界の文化の多様性の双方を超えて提示、共有しうる普遍的価値をインドの内から取り出すこと、ここにベンガル・ルネサンスを含むインドの近代思想を貫く大きなテーマを見て取れる。伝統と近代を架橋するとともに、インドを分断しかねない複雑な多元性をつなぎとめる営みである。しかしそれは矛盾をはらむ困難な試みである。そして、その困難の中で普遍的統合点を提示する上でヴィヴェーカーナンダが選んだ新しい記号がスピリチュアリティという英語語彙であり、また独立運動期以降の多くの人々が期待したのがセキュラリズムであったとして、ではローイに始まるブラーフマ・サマージの系譜のそれはなんであったかといえば、極めて伝統的・正統的な語彙、「ブラフマン」であった。

†ラームモーハン・ローイとブラーフマ・サマージ

ローイとブラーフマ・サマージは、偶像崇拝や多神崇拝、カースト、サティー、幼児婚などを批判し、女性の地位向上や教育の普及を目指した。その思想と行動は理性を重視し近代化を志向するものといえるが、しかし彼らは、その合理的価値を、西洋近代ではなく古代インドに見出そうとした。「ブラーフマ・サマージ」とは、ブラフマンを奉じる人々の協会を意味する。インドで古代よりさまざまに語られてきた究極的実在概念、ブラフマンである。彼らブラーフマがその合理的思考と運動の根拠としたのはこの概念とその出どころであるヴェーダとウパニシャッドだった。一方、後代のプラーナ文献などが語る神々の奔放な活躍の神話は、唯一者の属性の比喩的表現に過ぎないとして、多神崇拝や偶像崇拝を非合理な堕落と見て否定した。

ローイは多言語を学び、イスラームやキリスト教、ジャイナ教も研究し、そこから、人間は根本的に一神教を求めるもので、その点で宗教の根本は同一で矛盾することがないとして、唯一神信仰に基づく普遍宗教論に至った。彼はイエスの存在と教えを認めながら、イエスの奇跡譚や三位一体説や贖罪論を否定し、宣教師たちと論争を繰り返した。彼は、合理性も、逆に否定すべき非合理性も、ヒンドゥーイズムとキリスト教、インドと西洋双方に見出している。それは西洋近代と東洋伝統の相克の図式からずれた、あるいはそれを意図的にずらす思想と思われる。

†「マハリシ」デーヴェーンドラナート・タゴール

ローイの死の約一〇年後にサマージを率いることとなったデーヴェーンドラナート・タゴール（デベンドロナト・タクル、一八一七〜一九〇五）はまた異なる宗教観を見せる。きら星のごときタゴール・ファミリーの一人で、ローイの友人としてその活動に関わっていたドワールカーナート（ダルカナト）の息子でありまたラビーンドラナート（ロビンドロナト）の父であり、自らはマハリシ（モホリシ、「偉大な聖賢」）と称された。彼はローイ同様、偶像崇拝を否定し、無形無相の絶対者をヴェーダに求めたが、その後ヴェーダの無謬性の前提を問い直し、サンヒターではなくウパニシャッドこそが知恵の神髄であると考えるようになった。さらにウパニシャッドの研究の中で、そこに受け容れがたい内容も見出すようになり、ついには瞑想と直感による知恵を重視し、ヒマラヤで瞑想に没入し、ウパニシャッドの文言も直感に従って取捨選択するようになった。

ローイは唯一神信仰を強く主張し理神論も無神論も否定したが、そのブラフマン概念には、どこか思弁的な帰結のような印象もある。それに対し、タゴールのそれは崇拝と瞑想の対象であり、より明瞭な「神」の相を見せる。この二人について臼田雅之はこう述べる。「ラムモホンとデベンドロナトとでは、宗教への取り組み方が根本的に異なっていた。ラムモホンの宗教への関心はもっぱら知的・合理的追及であったが、デベンドロナトは宗教体験の内面的把握、すなわち宗教的行に取り組むことを目ざしていた。……かれは……社会的には保守的で慎重なスタンスを取りつつ、……世俗と離俗のあわいで、忘れられていた古代の宗教を内面的に掘り起こし、その近代的組み換えをはかった」(『近代ベンガルにおけるナショナリズムと聖性』二二八頁)。

†ケーシャブ・チャンドラ・セーンの変遷

そして、一八五七年に一九歳でサマージに加わりタゴールの愛弟子となり頭角を現した後、六六年に協会の「第一分裂」を起こし、ブラーフマ・サマージ・オブ・インディアを率いることとなったケーシャブ・チャンドラ・セーンは、また異なる多様な様相を見せる。「社会的には保守的」なタゴールに対してセーンは、カースト否定などでよりラディカルな社会変革の方向に向かい、またキリスト教やユニテリアニズムを熱心に研究して普遍宗教的方向性を示し、若いブラーフマ達の心を引き付けた。その点ではローイにも近い印象を与えるが、一方で次第に、それまでのサマージでは排除されていた、ベンガルのヴァイシュナヴァ派のバクティ的性質も示すようになり、キールタン（讃歌）の詠唱なども行うようになる。そこには当時サマージに加わっており、その後独自の宗教運動へと転じていったヴィジャイ・クリシュナ・ゴースワーミー（ビジョエ・クリシュノ・ゴシャミ、一八四一～一八九九）の影響も大きかったと考えられる。セーンと少年の頃から親交が深く、彼のもとで特にキリスト教研究を担当し、シカゴの万国宗教会議にも出席したプラタープ・チャンドラ・マジュームダール（プロタプ・チョンドロ・モジュムダル、一八四〇～一九〇五）は、セーンが初めて人前でキールタンを唄い涙を流した様を劇的に描写しつつも、一方でセーンが民衆的なヴァイシュナヴィズムを取り入れていったことへの違和感も隠せないところがあり、その変化のインパクトが見て取れる。

さらにセーンは、ローイ以来否定され続けてきた偶像崇拝も是認するようになっていく。バクティにせよ偶像崇拝にせよ、それまでサマージが否定していた、中世的、プラーナ的な信仰の展開を認めたわけであり、大きな転換である。その後七七年に第二分裂が生じ、社会改革を重視するサーダーラン（大衆）・ブラーフマ・サマージが分岐していく。そしてセーンの方は、社会改革運動から次第に後退し、その普遍主義的思想に「新摂理」（ニュー・ディスペンセイション、ノボビダン）の名を与え、イエスやソクラテスやチャイタニヤからニュートンやエマソンまで、さまざまな思想の同一性と調和を説いた。理性的普遍宗教論者から情熱的バクタまで、多様な相を示すセーンであるが、そのバクティ的性格の復活や偶像崇拝の許容には、ヴィヴェーカーナンダの師であるラーマクリシュナの影響が大きかったと考えられる。そしてこの人物の存在は、「ブラフマン」「スピリチュアリティ」などの概念と同様に、ベンガル・ルネサンスの普遍と固有の希求の重要な焦点であったと考えられるのである。

4 近代インドに空く〈穴〉――ラーマクリシュナと神

†ベンガル知識人とラーマクリシュナ

ラーマクリシュナ（ラムクリシュノ、一八三四／三六～一八八六）はインド近代史に大きな跡を残す特異な神秘主義的宗教者である。子供の頃からトランス体験を重ね、青年期以降は狂人のように神の観想にふけるようになった。その後タントリズムの女性ヨーギーやヴェーダーンタ派の遊行者、またスーフィーの指導も受け、キリスト教も学び、見神体験を深めていった。彼はたやすく神秘的三昧状態に入ったといわれ、その力と独特な魅力のもとに、次第に信奉者が集まっていった。彼は無学で、英語は知らず、地方訛りのベンガル語で語り、インド社会やその改革に興味を示すこともなく、ただ神を間近に見て、行と神秘体験に基づいて行動して語った。

そしてそのような彼のもとに、ベンガルの知識人たちが次々と引き寄せられ集まった。その一人が、ラーマクリシュナの第一の弟子となり、その跡を継ぎ、ラーマクリシュナ・ミッションと僧院ベールール・マットを設立したヴィヴェーカーナンダである。

カルカッタのカレッジで学び極めて優秀な成績を残していた若きヴィヴェーカーナンダ、ナレーンドラナート青年は、当初ブラーフマ・サマージに加わったが、神を目の当たりにしたいとの願いを強く持つようになり、サマージの宗教性に満足しなかった。彼は一八八一年にラーマクリシュナと初めて出会い、その後招かれてダクシネーシュワルの寺院を訪ねた。その時、ラーマクリシュナの異様な様子に偏執狂に違いないと驚き恐れながら、しかし「神は、ちょうど私がおまえを見て話しかけているように、見ることも話すこともできるのだよ」という言葉を受け、その様子に、彼が真に神を見ている偉大な存在と信じ始めたという（スワーミー・サラダーナンダ『ラーマクリシュナの生涯――その宗教と思想（下巻）』日本ヴェーダーンタ協会、二〇〇七年、三二八～三三四頁――以下『ラーマクリシュナの生涯（下）』と略）。その後、この師との葛藤を経ながら、その特別な弟子として、その名を受け継ぐ活動をしていくことになる。

ブラーフマたちもまたラーマクリシュナのもとに多く集っていた。ただし「マハリシ」タゴールとの出会いは少々微妙なものだったようだ。ラーマクリシュナはタゴールに、俗世に生きる「少し尊大」な人間像と、神に向かい宗教生活を送る智者（ジュニャーニン）の像をともに見て、そして彼に「神さまのことを何かおっしゃってくださいませ！」と求めたという。ロマン・ロランは二人の出会いをこう語る。

デーヴェーンドラナートは客の眼の中の焔に打たれた。そして彼は翌日の祭礼に、ラーマクリシュナを招じた。しかし祭礼に列するなら、「少し体をつつむように」彼に乞うた。というのはその若い巡礼は身装などかまいつけなかったからである。ラーマクリシュナは、例のいたずららしい人の善さで、それを期待してもらっては困る、彼はこんな男なので、そのまで来るだろうと答えた。そして非常に親しげに別れた。ところがその翌日、朝早く、ラーマクリシュナのところへ、大貴族から、どうぞお越しくださらぬようにとたいへんていねいな言葉がとどいた。
それでお終いだ。爪のない、優しい一蹴で、貴族は排除され、彼の理想主義の天国に残された。（ロマン・ロラン「ラーマクリシュナの生涯／ヴィヴェカーナンダの生涯と普遍的福音」『ロマン・ロラン全集15 伝記Ⅱ』宮本正清訳、みすず書房、一九八〇年、一一八〜一一九頁）

タゴールにはやや気の毒な描写かもしれないが、しかし両者が引かれ合いまたかみ合わなかった様が見えて興味深い。

セーンとラーマクリシュナの関係ははるかに親密なものとなった。一八七五年に出会った時、ラーマクリシュナがカーリーの讃歌を歌いながらトランスに入った様に、セーンは特に感慨を持たなかったが、その後のラーマクリシュナの様子と言葉から、その三昧が明瞭な意識と知恵につながっていることを感じて打たれ、彼を深く敬愛するようになったという。ロマン・ロランが引くある伝記の言葉によれば、「単純で、温和で、可愛い子供のようなラーマクリシュナの性質は、ケーシャブのヨーガ、宗教に関する彼の純血無垢な思想に色彩を与えた」(同前、一二二〜一二四頁)。ラーマクリシュナはセーンらにこのように語ったという。

どうして神の様々な力について、あんなにごたごた言うのだね? 父親の前に座っている子供が「お父さんは馬や牛や家や土地をどの位持っているのだろう?」などと考えるかね? 子供はただお父さんが大好きで、自分も愛されていることを知っていて、それだけで幸せなのだよ。父親が子供の衣食の面倒をみることに何の不思議があるかね? 我々はみな神の子供なのだよ。我々の面倒を見て下さるのがそんなにすごいことだろうか?(『ラーマクリシュナの生涯(下)』二九三〜二九四頁)

セーンのバクティや偶像崇拝の許容には、ラーマクリシュナの神との親密な関わりのありようが大きな影響を与えたと考えられる。セーンだけでなく、前出のゴースワーミーもマジュームダールも、数多くのブラーフマがラーマクリシュナのもとに集った。ラーマクリシュナは後にアーリヤ・サマージを設立する西インド出身の宗教・社会改革者、ダヤーナンダ・サラスヴァティー(一八二四〜一八八三)とも一八七二年に会っている。また、前に、マックス・ミューラーの「スピリチュアリティ」用例はわずかしか確認できなかったとしたが、そのわずかな用例は、実はラーマクリシュナに関する記述に集中している。

†インド近代思想におけるラーマクリシュナと神

このように、ラーマクリシュナと彼の神体験は、近代インド思想の動きの中心に深く根をおろしている。中でも、西洋近代と東洋伝統の対立の構図に向かい合い組み替える難しい努力を続けていたベンガル・ルネサンスの合理的、普遍的な動きの真ん中に、この宗教者が大きな位置を占めているのは興味深いことである。ブラーフマらは「ブラフマン」概念を掲げ、またヴィヴェーカーナンダはスピリチュアリティの名のもとに多様な思想と文化の到達点を同一視し、「かの一者、普遍的一者、あらゆる内なる魂、あらゆる本質と実在、永遠なる自由、永遠の祝福、そして永遠の存在」などと表したが、ラーマクリシュナにとってそれは日々親密に目の当たりにしている神さまに他ならず、そしてそのような彼を、近代インド周辺の知識人たちは求め続けた。興味深いことに、ブラーフマたちを率いたローイやセーンは、必ずしもブラフマンという語を多用していない。さまざまな矛盾や対立を解消する重要な概念であるはずだが、恐らくはだからこそ、その内実を繰り返し語ることはなかったのではなかろうか。彼らは理性を重んじ、普遍的な統一点を語りつつ、無神論や理神論は否定し「神」の座を保持し続け、そこに「ブラフマン」という、語り難い一種のブラックボックスを置いていたように見える。そしてその「神」をまざまざと見ていたラーマクリシュナの存在もまた、近代インドの普遍主義的思想の展開の中にあって、語り解けない、だからこそ消費し尽くされない、一種のブラックボックスとして求められていたように見えるのだ。

十字架のヨハネ研究などで知られる宗教学者、鶴岡賀雄は、昨今、現代世界における「宗教」のヴィジョンの可能性を、〈穴〉をキーワードに論じている。仮に宗教を内在世界と対をなす超越と関わる営みと見た場合、世俗化論に基づけば、近現代世界では「この世の外」「超越」を見出し語る場は次々に消え、わずかに私的領域に囲い込まれて残っているかどうかということになる。そもそも内在世界から超越をのぞみ語ることはある種のアクロバットではあるが、それが例えば、エリアーデが「ヒエロファニー」と呼んで分析した、超越がこの世に顕現する仕組みと見ることもできよう。しかしそのようなイメージが維持できず、この世の果ての地平をのぞむイメージをもてない現在においては、……世界の「果て」（＝「彼方」）ではなく、果ての見えない世界の「中に」開く、むしろ「空く」、「穴」が、現代の（あえて言えば）ヒエロファニーの場所のイメージではないか、というのが私の実感である。通俗的現代宇宙論を参照するなら、「宇宙の果て」から「ブラックホール」へと、「事象の地平線」の場所が転じているのではないか、ということになる。（鶴岡賀雄「現代世界における「宗教」のヴィジョン――死生学とのかかわりのなかで」『死生学年報2020　死生学の未来』三五頁）

と鶴岡は言う。鶴岡の論の詳細をここで論じることはできないが、ともあれ筆者は、近代インド思想の担い手達の合理的な普遍主義の真ん中に求められていたのは、これにごく近いものではないかと考えている。彼らは西洋近代と東洋伝統の対立構造に挑み、インド内外の矛盾と対立を解消しようとして、共有できる普遍性を求めたが、その営為は真ん中にこの〈穴〉となる何かを置いてこそ成り立ったもののように思われる。そして今、近代というものを多元化、多重化し、共有できる何かとして捉え直そうとしている我々は、ただ彼らを分析できる立場にはなく、彼らと同じく、自分たちの〈穴〉の問題に向かわざるを得ないだろう。〈穴〉のない世界を生きるのか、何らかの〈穴〉を認め、あるいは求めるのか。我々は実は過去の「近代人」の努力と同じ営みを続けており、そのためにこそ、今それを分析しようとしているはずなのである。

さらに詳しく知るための参考文献

ロマン・ロラン「ラーマクリシュナの生涯／ヴィヴェカーナンダの生涯と普遍的福音」（『ロマン・ロラン全集15　伝記Ⅱ』宮本正清訳、みすず書房、一九八〇年）……「わたしは十年このかた西洋と東洋の間に立って、そのために骨折っている。わたしは精神の諸形態——西洋と東洋が理性と信仰と（誤って）呼んでいるものの間にもそれを試みたい」としてロマン・ロランが綴る伝記は語りの魅力にあふれている。

竹内啓二『近代インド思想の源流——ラムモホン・ライの宗教・社会改革』（新評論、一九九一年）……ローイとブラーフマ・サマージの思想と活動の全体を、特にローイの唯一神信仰に基づく普遍宗教思想の構築の経緯と意義に焦点をあてて論じる貴重な一冊。

臼田雅之『近代ベンガルにおけるナショナリズムと聖性』（東海大学出版会、二〇一三年）……東ベンガルの僻県での一人物と民族運動のこまやかな叙述を核に、「聖性」が近代インド社会にどのようなかたちをとってあらわれ何をもたらしたかを描き出す。

カピル・ラジ『近代科学のリロケーション——南アジアとヨーロッパにおける知の循環と構築』（水谷智・水井万里子・大澤広晃訳、名古屋大学出版会、二〇一六年）……西洋近代の専有物としての科学像と非西洋世界のナショナリスティックな科学史が対抗する状況を超え、「西洋中心でもなく、地域主義でもなく」、近代知を「リロケート」する一冊。

第10章 「文明」と近代日本

苅部 直

1 「文明開化」のゆくえ

†シヴィライゼイションと「文明」

「文明開化」という言葉は、明治の「御一新」に続く時代の文化動向を言い表わすものとして、すでにおなじみだろう。まさにその時代の流行語であったがゆえに、現在も歴史を語るときに用いられている。明治時代に長崎で創業したカステラの「文明堂」のグループに属する、横浜文明堂の人気商品の一つは「横濱開化サブレ」である。一九世紀の一時代の日本を象徴する言葉として、「文明開化」はいまでも生き続け、広く知られている。

もともと「文明」と「開化」の両者はどちらも、儒学の経書に由来する漢語である。だがこれを組み合わせ、「文明開化」という四字熟語として用いたときには、ありふれた古典の言葉ではなくなっていた。徳川時代に長く続いた「鎖国」体制が解かれ、西洋の文物の摂取に努めるようになったこの時代に、日本人が新たに目ざすべき人間の営みの方向を示す。そうしたキイワードとして世に迎えられたのである。

「文明開化」の四字熟語を造語したのは、おそらく福澤諭吉（一八三五〜一九〇一）であった。その著書『西洋事情』外編が慶應四（一八六八）年に刊行されている。これは、英国で刊行された政治・経済の教科書、ジョン・ヒル・バートン（一八〇九〜一八八一）による『政治経済学――学校教育および家庭教育のために』（John Hill Burton, *Political Economy: for Use in Schools and for Private Instruction*, London / Edinburgh, 1852）を翻訳し、それに「諸書」の「鈔訳」を加えて補いながら一書にまとめたものである。

このなかで福澤が、原文のシヴィライゼイション（civilisation）を「文明開化」と訳した。すでに同じ『西洋事情』の初編（一八六六年）でも、「文明」の訳語をあてている。初編の前年にほかの人物が書いた新聞記事に「開化文明」の言葉が見えるという指摘もあるが、『西洋事情』初編・外編はともにベストセラーになって広く普及したので、シヴィライゼイションの翻訳語としての「文明開化」「文明」が世に広まったのは、この本の力によるものであったと見ていいだろう。まもなく「開化」も同じ言葉の訳語として単独に用いられはじめ、やはり流行語になった。

明治のはじめの一〇年ほど、日本に生きた人々は、この「文明開化」「文明」「開化」の言葉を旗印にしていわゆる近代化を進めた。西洋流の「洋服」を着込んで靴を履く。髷を切ったザンギリ頭に髪型を改める。英語・ドイツ語・フランス語の書物を読み、学問と思想を摂取する。キリスト教の信仰にふれる。鉄道を造り、汽車を走らせる。工業機械を西洋から輸入して、それを操作する技術を身につける。会社や商取引の制度を整える。西洋風の法典を編纂する。議会の設置と中央集権的な国家機構の創設をめざす。軍隊を西洋の強国にならって編成する。――哲学・藝術・宗教から、テクノロジー、法制度、日常の風俗に至るまで、幅広く西洋の文化を受容することに、この時代の日本人は熱心だった。「文明開化」とは、当時の動向の全体を総括する言葉でもある。

そこには、「文明」と野蛮とを対比し、野蛮から「文明」へと向かう進歩の度合いに関して、西洋の方が日本などの「東洋」諸国よりもずっと高度な状態に達しているという認識が伴っている。「文明開化」にむけた努力は、同時に一九世紀の西洋哲学に見られた進歩史観を受容する過程でもあった。二〇世紀以降の常識から評価すれば、これは西洋人の自文化中心主義に対する卑屈な迎合に見えるかもしれない。

だが、王政復古・廃藩置県を通じて身分制による束縛から解放され、人間の平等を説く哲学、整った法制度、体系的な自然科学と技術に一挙にふれた日本人にとって、それを「開けた」ものとして素直に認めるのは、まったく自然なことだっただろう。伝統思想との関係についてはさらに論じるべき側面もあるが、ここではこの点だけ確認して叙述を進めることにする。

したがって、福澤と同じように徳川末期から明治の初めにかけて西洋諸国を訪れ、現地の最新の学問を吸収した洋学系の知識人たちは、西洋の進んだ「文明」の産物を日本社会に広めようと試みていた。そうした動きを代表するグループが、福澤も社員の一人だった明六社にほかならない。

明六社の社員たちは、雑誌『明六雑誌』(全四三号、一八七四〜一八七五年)を発行して論説を発表し、定例会を公開して聴衆の前で演説・討論を行った。西洋由来の学問を普及させるとともに、そうした知識を流通させるためのメディアを開発しながら、社会の気風をもまた変えてゆこうと試みたのである。

その第一号(一八七四年三月)の巻頭を飾るのは、明治政府の兵部省に出仕していた洋学者、西周(にしあまね)(一八二九〜一八九七)による「洋字を以て国語を書するの論」であった。西は津和野出身で、徳川末期に蕃書調所の教授となり、オランダ留学に派遣されていた。王政復古ののちには徳川慶喜とともに静岡へ移り、沼津兵学校の校長となったが、明治政府から乞われて「東京」の新政権に出仕したのである。

西はこの文章の冒頭で、「文明」の発達の程度に関して、西洋と日本のあいだに大きな落差があると指摘し、その現状を深く嘆いている。「ややもすれば、かの欧州諸国と比較することの多かる中に、ついには彼の文明を羨み、我が不開化を嘆じ、はてはては、人民の愚いかんともするなしということに帰して、また欷歔(ききょ)長大息に堪ざるものあり」(山室信一・中野目徹校注『明六雑誌』上巻、岩波文庫、一九九九年、二七頁)。したがってこの落差を埋め、少しでも追いつくためには、学問の内容も、それを表現する文章のスタイルも、西洋と同じにしなくてはいけない。そこで西は、日本語をアルファベットすなわち「洋字」で表記することによって、文字の学習と西洋言語の習得を簡単なものにしようと唱えた。

†「文明開化」の進行

歴史を振り返ってみれば、このときの西の焦りは杞憂であり、提言は急進的にすぎた。それから一〇年ほどの間、西洋の思想・学問・テクノロジーの受容は、西の予想をこえて急速に進んだのである。『明六雑誌』の発刊の前年に、東京銀座には洋風建築の煉瓦街が築かれ、「文明開化」の風俗は大都市・開港地から地方へと波及してゆく。官立の高等教育機関として開成学校・医学校・司法省法学校・工学校などが開設され、当初は西洋人の教官によって授業が行われたが、そこで育った知識人は日本語と従来の文字を用いたまま西洋の学問を論じ、次の世代に伝えるようになる。立憲制度の導入も進められ、西の文章の一六年後には国会の開設が実現を見る。

†「文明」に対する疑い

「文明開化」の急速な進行は、同時代を生きる人々にとっても驚きであった。熊本洋学校と京都の同志社で学び、故郷の熊本大江村に戻って私塾を開いていた青年、徳富蘇峰(一八六三〜一九五七)は、著書『第十九世紀日本ノ青年及其教育』(一八八五年)のなかでこう語っている。「泰西ノ開化史」の書物によれば、ヨーロッパ諸国は「封建割拠ノ勢」から今日の「文明」に至るまで、四、五〇〇年をかけてゆっくりと向上していった。これに対して日本は「此ノ数百年ノ長程ヲ一瞬一息ノ間ニ奔馳」した。そのせいで「数百年前封建ノ残余ト。数百年後文明ノ分子ト。同一ノ時代ニ於テ同一ノ社会ニ於テ。肩ヲ摩シ袂ヲ連ネテ生活セサル可ラサル奇異ノ現象」を短い間に「幻出」させるに至っている(植手通有編『明治文学全集34 徳富蘇峰集』筑摩書房、一九七四年、一五一〜一五二頁)。

「封建」と蘇峰が言っているのは、封建制・郡県制という東アジアに伝統的な政体分類の概念におけるそれではなく、すでにフューダリズムの訳語である。人間の社会はどの国でも、「封建社会」から「自由主義ノ社会」へと進歩し、「文明」の程度を高めてゆく。それが、一九世紀西洋の文明史の著作から学んだ新しい歴史観であった。いまや、「封建時代」の儒学や国学の発想に縛られた老人たちと、学問を通じて西洋の「文明」を学んだ自分たち若者とがせめぎあっている。当時の日本社会は蘇峰の目にそう映っていた。

しかも興味ぶかいのは、この時点ですでに、「文明開化」の風潮に関する批判的な視線が現われることである。「封建ノ残余」と「文明ノ分子」とが並存しているという理解は、見かたを変えれば、西洋の「文明」の受容が進んでいても、それは都市部や若者だけの、社会の一部分に浸透しているにすぎない。そういう認識にもつながるだろう。

蘇峰自身、この著書を二年後に再録して東京で刊行した書物、『新日本之青年』（一八八七年）のなかでは、西洋の「文明」には道徳性を備えた「精神的ノ文明」と、拝金主義に陥り競争にあけくれる「物質的ノ文明」の両面があるにもかかわらず、明治の日本では「物質的ノ文明」ばかりが礼賛されると批判している。新たな「文明」の到来を体験していない人々もまだ多いことに加えて、その内容の「物質的」な性格が、日本の「文明開化」の限界だというのである。蘇峰がこの前の年に刊行した『将来之日本』（一八八六年）は、「腕力世界」「封建世界」から

「平和世界」すなわちデモクラシー（「平民主義」）へむかう社会の進化を高らかに語り、世評を集めた。だがその行論に「文明」の語は登場していない。明治一九年の時点ですでに、「文明開化」さらに「文明」の語は、皮相で「物質的」な西洋模倣を表わすものとなり、賞味期限がすぎていた。

†「文化」の礼賛

やがて明治の末、一九一一（明治四四）年になれば、夏目漱石（一八六七～一九一六）が講演「現代日本の開化」で、近代日本における「開化」を辛辣に批判することになる。それは漱石の見るところ、西洋諸国からの外圧に押されて、西洋文化を「上皮」だけで模倣したものにすぎない。さらに大正期には、ドイツ系ロシア人の特異な哲学者にして音楽家、ラファエル・ケーベル（一八四八～一九二三）のもとで学んだ阿部次郎（一八八三～一九五九）や和辻哲郎（一八八九～一九六〇）が、「文明」の語と対立させながら、「文化」を新たなキイワードとして論陣を張った。いわゆる大正の「教養派」の登場である。

彼らは、ドイツの教養市民層が、哲学・藝術・宗教といった精神的な活動とその作品を「文化」と呼び、それに対して「文明」は物質的な欲望に奉仕する技術の集積にすぎないと貶視したのを、忠実に継承する。そしてそうした「文化」の所産を幅ひろく鑑賞することを通じて、人格を向上させてゆく自己陶冶の営みを、「教養」（ドイツ語のビルドゥングの訳）と呼んだ。阿部次郎『三太郎の日記』（一九一四年）や和辻哲郎『偶像再興』（一九一八年）といった著作は青年たちの人気を集め、岩波書店の出版事業もそれに乗って、大正期の「教養」ブームを巻き起こした。物質的な「文明」の摂取に専念した明治の旧世代をのりこえ、高尚な「文化」を追求する若者たち。そういう自負が明らかである。

そもそも「文明（フランス語のシヴィリザシオン）」の語は、一八世紀のなかば、政治家・経済学者のジャック・テュルゴー（一七二七〜一七八一）によって作られ、フランスの文人が同時代の習俗を讃える言葉として、最初に流布したと言われている（ニーアル・ファーガソン『文明』仙名紀訳、勁草書房、二〇一二年、二七頁）。福澤諭吉が読んだスコットランドのバートンの著書や、徳富蘇峰が読んだ文明史の書物が語るシヴィライゼイションの言葉もまた、フランスでの用法が英語に流入したものであろう。

これに対して、大正期から普及した「文化（クルトゥア）」と「文明（ツィヴィリザツィオーン）」の二項対立の論法は、ドイツ語の概念に由来する。それは、一八世紀末のヨハン・ヴォルフガング・ゲーテ（一七四九〜一八三二）やヨハン・ゴットフリート・ヘルダー（一七四四〜一八〇三）に代表される、新人文主義の潮流に由来する「教養」の語とあわせて、日本で流行した。一九世紀のドイツでこの二項対立が論じられたのには、「文明」の先進国であるフランスに対する、後発国ドイツの対抗意識という側面もあっただろう。阿部や和辻の「文明」批判の矛先はそれとは異なって、むしろ明治の旧世代にむいている。

†昭和の「文明」批判

やがて昭和期に入ると、左側のマルクス主義、右側の「日本精神」論・國體論のあいだの対立が言論の世界を支配するようになり、両者に挟まれて「教養派」の人気は衰える。だがそうした転変を経ても、「文明」に対する批判や冷たい視線は生き続けるのであった。左翼勢力が影を潜めるようになった一九三〇年代後半から、日本浪曼派を代表して活躍した保田與重郎が支那事変下に発表した評論の一つは、「文明開化の論理の終焉について」(一九三九年)と題されている(ただし単行本に再録したさいの題名)。西洋文化の皮相な「翻訳と編輯がへ」に専念する知識人の「文明開化の論理」が、明治初期から昭和のマルクス主義者に至るまで継承され、「日本の大衆のイデーと現実」から乖離している。それが保田の「文明開化」論であった。

日本浪曼派と似た立場を当時にとっていた作家、林房雄(一九〇三〜一九七五)は、大東亜戦争の時代に催された「近代の超克」座談会(『文學界』一九四二年一〇月号)で、明治の「文明開化」は「ヨーロッパへの屈服」であり、「文明開化とは実用品文化であつて、その中に文化の根源的なるものはありません」と辛辣な批判を口にする。こうした「文明」と「文化」の対比はまさしく「教養派」の用語法そのものである。しかし、精神的な「文化」の象徴として林がとりあげたのは、阿部や和辻の礼賛する古代ギリシアや同時代の西洋哲学ではなく、西郷隆盛と「勤皇の心」（同じ雑誌特集に寄稿した評論の題名）であった。時代風潮はまさしく一巡したのである。

2 西洋中心主義をこえるもの

†「文明」を喜ぶ庶民

欲望礼賛と物質偏重。皮相な西洋化。そうした「文明開化」批判が、すでに明治一〇年代にめばえ、大東亜戦争期に頂点を迎えるようすを、これまで見てきた。戦後になるとさらに、上からの強権による文化改革という印象が重なることになる。マルクス主義歴史学による近代史研究を代表する作品、遠山茂樹『明治維新』は、こう書いている。「文明開化の勝利は、畢竟絶対主義権力の勝利であった。お上の手による欧米文化の移植が、人民の貧しい現実生活とかけ離れたものであればある程、それはお上の権威の誇示として人民には受け取られたのであった」（岩波全書、一九五一年、三〇二頁）。

「文明開化」とは、西洋流の「富国強兵」をめざす明治新政府が強引に主導した事業であり、従来の生活風俗に愛着をもつ「人民」にとっては、迷惑な抑圧の具にすぎなかった。そういう理解であり、いまでもそうした見かたを示す歴史学者は少なくない。

だが、実態はそうではなかった。当時の庶民が「文明開化」に寄せていた態度をよく示す文学作品として、戯作者、仮名垣魯文（一八二九～一八九四）による『西洋道中膝栗毛』（全一五編、一八七〇～一八七六年。第一二編以降は総生寛による代筆）がある。徳川時代の滑稽本、十返舎一九（一七六五～一八三一）による『東海道中膝栗毛』の主人公、喜多八と弥次郎兵衛の孫たちという設定の同名のコンビが、江戸を出発して蒸気船に乗り、インドやエジプトをへて英国のロンドンまで、世界を旅する物語である。もちろん、作者が実際にヨーロッパまで足を延ばしたわけではない。福澤諭吉による『西洋事情』『西洋旅案内』『西洋衣食住』といった案内書を読んで図版を引き写し、洋行帰りの知人から話をきいて、想像をふくらませながら書いた作品である。

その冒頭で、作者はこのように語っている。

> 文明開化の当時の旅は、往古に異りて。万国世界も、親類附合。さるからに。陸には蒸気車、海河には。蒸気船の器械を備へ。自国は庭中を巡るが如く。鬼門関外、遠しとせず。五十三駅、六十九次。奥の細道、蝦夷十州。大砲一発三千里。首途の酒の醒ぬ間に。着府入港神速

なるは。実に天恩の御新制。最有難き御代ならずや。（小林智賀平校訂『西洋道中膝栗毛』上巻、岩波文庫、一九五八年、五〇頁）

蒸気機関車と蒸気船は、この当時、西洋の進んだ「文明」、また日本の「文明開化」を象徴するものとしてよく言及される。旅物語の背景設定という役割にはとどまらない、大きな意味がその姿にはこめられているだろう。「文明開化」は、すぐれた技術の支えによる、コミュニケーションの加速と拡大としてとらえられていた。「最有難き御代ならずや」という言葉には、王政復古・廃藩置県による「天恩」がもたらした、この「文明開化」を素直に歓迎する心情があふれている。

やがて一八七四（明治七）年刊行の第十三編で弥次喜多の二人は、ロンドンの博覧会の「開化」ぶりに感心しながら、「しかし、日本も此節は、大きに開化が進んで来やしたから、いろ〳〵な器械が出来て、蒸気や轍道電信機は勿論、写真その外、大槩は西洋の模様になりやした」（下巻、一三九頁）と英国人にむかって自慢するのである。もちろん二人の空威張りぶりを諷刺した描写ではあるだろう。だが同時に、急速な「文明開化」の進行を当時の庶民が喜んでいたことを証言するものにほかならない。

実際、渡辺浩の論文「「進歩」と「中華」――日本の場合」（『東アジアの王権と思想』東京大学出版会、増補新装版、二〇一六年、所収）が明らかにしたように、すでに徳川時代の後半から、学者・文人の著作には、世が「開ける」という言い回しが登場するようになっていた。それは経済が繁栄を迎え、つぎつぎに新たな物が流通し、文化が洗練されているという人々の実感を反映したものだったのである。庶民にとって、「御一新」ののちの「文明開化」は、前の時代から続く変化の延長として実感されていた。シヴィライゼイションの訳語の一つに「開化」が選ばれたのも、開けてゆく世という感覚に即応するがゆえのことだっただろう。

しかもこの「開化」は、道徳的な資質の向上とも重ねてとらえられていた。『西洋道中膝栗毛』の第二編に見える挿話もそれを示している。弥次喜多の二人が西洋にむかう航路の途上、上海の町を歩いているとき、喜多八の頭の髷が崩れているのを、弥次郎兵衛が教えず、本人に恥をかかせる結果になった。それに気づいた喜多八は弥次郎兵衛の「ふ人情」を責めたて、二人は言い合いになる。その途中で弥次郎兵衛が投げかける捨てぜりふが「とんだ開化のすゝまねへゑびすだぜ」なのである。おたがいを思いやる「人情」が、「開化」の進行の効果として現われるという考えが示されている。

そもそもシヴィライゼイションに「文明」「開化」の漢語を訳語としてあてたこと自体が、道徳性のニュアンスを強く帯びていた。どちらの言葉も、儒学の思想において理想世界とされた、経書が伝える古代の聖人王たちの治世において、道徳心が広がり、人々が穏やかに共存しているありさまに関連する。「文明」は、経書の一つである『書経』舜典に見え、理想の聖人王の一人、舜の深遠な徳を讃える形容詞であった。また『易経』乾卦文言伝では、徳の高い統治者による感化をこうむって、世の中が安定しているようすを「天下文明」と形容している。「開化」もまたそうした感化の作用の始まり（「化を開く」）を意味する言葉であった。『書経』の朱子学による注釈書、蔡沈（さいちん）『書経集伝』は「文明」の語を「文理而光明」と解説する。人々がみずからの情欲を制御し、心に本来備わっている「理」を十全に発揮して、万人・万物との調和を実現する。「文明」の語が意味したのは、そうした理想の世が放つ美しい輝きにほかならない。

†「文明」の道徳性

一八世紀にジャン＝ジャック・ルソー（一七一二～一七七八）が『学問藝術論』などで展開した、シヴィリザシオンがもたらす人間性の腐敗に対する告発を知っている目からすれば、「文明」の訳語をあてたのは単なる誤解と思えるかもしれない。だが、そうではなかった。福澤諭吉の『西洋事情』外編は、バートンの原書の「シヴィライゼイション」と題した章を、第一巻第四章「世の文明開化」として訳出している。そこで描かれる「文明」の姿は、以下のようなものである。

歴史を察するに、人生の始は莽昧にして、次第に文明開化に赴くものなり。莽昧不文の世に在ては、礼義の道未だ行はれずして、人々自から血気を制し情欲を抑ゆること能はず。大は小を制し、強は弱を虐し、配偶の婦人を視ること奴婢の如く、父の子を御するに無道を以てするも、之を制する者なし。且、世間相信ずるの意薄くして、交際の道甚だ狭きが故に、制度を設て一般のために利益を謀ること能はず。世の文明に赴くに従て、此風俗次第に止み、礼義を重んじて情欲を制し、小は大に助けられ、弱は強に護られ、人々相信じて独其私を顧みず、世間一般の為めに便利を謀る者多し。（『福澤諭吉全集』第一巻、岩波書店、一九五八年、三九五頁）

これは原文と対比すると、ほぼ忠実な翻訳であることがわかる。「文明」の進歩とともに、人間は「莽昧」な状態からシヴィライゼイションすなわち「文明開化」へとむかってゆく。しかしここで描かれる「文明」の状態は、男女の平等を除けば、「礼義を重んじて情欲を制し」

「人々相信じて独其私を顧みず」などと、儒者が理想とした調和状態とまったく共通する。「礼義」とあるのは原文の「道徳感情（the moral feelings）」の訳語である。他者に対するうやうやしさと公正さを意味し、儒学がすべての人の心に潜在していると説く五常の徳の、重要な構成部分であった。

つまり一九世紀西洋の文明論・文明史の著作は、すでにシヴィライゼイション（シヴィリザシオン）に対するルソーのような批判を念頭において、人類が進歩するに従って、計算能力・功利的な思考としての知恵だけではなく、道徳性もまた成長すると反論するものであった。福澤諭吉が『文明論之概略』（一八七五年）の執筆のさいに参考にし、徳富蘇峰も読んだと思われる、英国のヘンリー・トマス・バックル（一八二一～一八六二）による著作『イングランド文明史』（一八五七～一八六一年）は、知恵（intellect）と道徳（moral）の両者が相補いながら、ともに発達するのがシヴィライゼイションの発展だと説く。

福澤諭吉もこれを受け『文明論之概略』のなかで、「智恵」と「徳」の両者がともに発達してゆくのが「文明」の進歩だと説いている。人間の欲望を満たし、衣食住を快適にする技術ばかりを開発するような「智恵」は、「文明」の半面にすぎない。一九世紀の西洋諸国もまた、たしかに「智恵」の進歩の度合は日本よりもはるかに進んでいるにせよ、ヨーロッパ諸国の間の戦争や、アジア・アフリカに対する侵略の事実を見れば、「徳」においてはまだ大して進歩していないことがわかる。しかし「文明」の進歩が続いてゆけば、「徳」もまた豊かに広がって、数百年・数千年後には、世界万国が戦争をやめ、穏やかに共存する「文明の太平」が実現するだろう。福澤が提示した人類史のヴィジョンは、徳富蘇峰が批判する「物質的文明」の自己展開ではなかった。むしろ、一九世紀の人類における欲望の噴出と争乱状態をのりこえ、やがてたどりつく世界平和への道だったのである。

3 一九世紀の多面性

†世界史の哲学

先にふれた、大東亜戦争の時代における座談会「近代の超克」で、司会の河上徹太郎（一九〇二〜一九八〇）の長い冒頭発言のあと、まず問題提起を行ったのは、座談会の直後に旧制第三高等学校教授から京都帝国大学文学部助教授へ転じることになる西洋史学者、鈴木成高（一九〇七〜一九八八）である。そのころ鈴木は、やはり京都帝大の教授・助教授であった哲学者たち、高坂正顕（一九〇〇〜一九六九）、高山岩男（一九〇五〜一九九三）、西谷啓治（一九〇〇〜一九九〇）とともに、盛んに「世界史の哲学」の論陣を張り、大東亜戦争の思想史的な意義を高唱していた。

座談会の冒頭で鈴木は、現在「超克」されるべきだと言われているのは、直接には「近代」のうちでもフランス革命ののちの時代、すなわち一九世紀以降のヨーロッパのあり方だと説いている。「政治上ではデモクラシーとなりますし、思想上ではリベラリズム、経済上では資本主義、さういふものが一九世紀であると言つてよいわけだらうと思ひます」。座談会における鈴木のほかの発言によれば、これはまったく新しい動向というわけではなく、そもそも「中世」の否定から出発したがゆえに生じた、ルネサンス以降の「近代」全体にわたる傾向に根をもっている。そして冒頭発言では、この「近代」の性格は伝統的な「ヨーロッパ的のもの」の特質と結びついているのだから、「さういふヨーロッパの世界支配といふものを超克する」大東亜戦争もまた、「近代の超克」の試みにほかならないと説いた。

鈴木、またほかの三人の「京都学派」の哲学者たちのこうした戦時中の発言は、時局に対する迎合に尽きるものではなく、大東亜戦争の戦争目的を文字通りにうけとりながら、戦時体制の運営を少しでも合理的な方向へ修正しようとめざすものであった。しかし戦時下に国民が味わった苦痛、敗戦という結果から見れば、その試みは失敗に終わったと言ってよい。

†戦後における対決

その鈴木に対して、一九世紀から二〇世紀にかけての文明史の理解について、戦後にまっこうから論争を挑んだ知識人がいる。戦時下で「近代の超克」の動向に対する批判意識をもち、むしろ理念としての「近代」を尊重する立場から思想史研究を続けていた政治学者、丸山眞男である。一九五四（昭和二九）年に刊行された座談会「共同討議　世界史における現代」（『現代史講座　別巻　戦後日本の動向』創文社、所収）で、鈴木と丸山は顔をあわせている。

そこでの丸山の鈴木批判の論点の一つは、やはり思想史における一九世紀の位置づけをめぐるものであった。丸山は、マス・デモクラシーの勃興、テクノロジーの拡張といった「現代」の動向が、すでに一九世紀に始まっていたと指摘する。「わたしは、――だんだん時代を遡らせて恐縮ですが――帝国主義開幕のもうちよつと前の段階、つまり十九世紀のなかごろに現代の発端を置きたいのです」（同書一八〇頁）。ここでは、ルネサンス以来の「近代」の延長線上に一九世紀を位置づける鈴木と、同じ世紀に「近代」と区別された「現代」の始まりを見る丸山とが、くっきりと対立している。

二人のほかの著作における主張も視野に入れて整理するなら、鈴木は、一九世紀の西洋における物質主義の横行と、工業力の発展を背景にした帝国主義諸国の世界支配を、「近代」が出発点から抱えていた問題性の現われととらえた。それをのりこえて精神文化の豊かさを回復し、西洋以外の地域も自立できる多元的な世界秩序を基礎づける。戦時中における「世界史の哲学」は、そういった形で「近代」という世界史上の一時代を超克しようと唱えるものであった。

これに対し丸山にとっては、「十八世紀啓蒙精神」が体現する自由や人権の原理は、人類が普遍的にめざすべき理想にほかならない。そうした理念としての「近代」を称揚する立場に基づいて二〇世紀の「現代」を分析し、その前史として一九世紀を意味づけたのである。「近代」の問題点が一九世紀に集約されたと見なす鈴木。一九世紀の新たな動向が、正負の両面で「現代」に連続することに目をむけた丸山。世界哲学の問題として考えるなら、二人の対立からうかがえるのは、一九世紀西洋の哲学・思想が抱えていた多面性を反映した、歴史観の相異である。そして「文明開化」期の日本人もまた、その多面性のうちの重要な一面を、たしかにとらえていたと言えるだろう。

さらに詳しく知るための参考文献

福沢諭吉『文明論之概略』（松沢弘陽校注、岩波文庫、一九九五年）……「文明」について明治の思想家がいかに考えたか。その思考の深さと広さを知るためには、やはりこれを読むのが一番。すぐれた注が理解を助けてくれる。補助として松沢弘陽『近代日本の形成と西洋経験』（岩波書店、一九九三年）を読むのもいい。

河野有理『明六雑誌の政治思想――阪谷素と「道理」の挑戦』（東京大学出版会、二〇一一年）／李セボン『「自由」を求めた儒者――中村正直の理想と現実』（中央公論新社、二〇二〇年）……阪谷素（しろし）と中村正直（敬宇）はともに、朱子学者でありながら近代西洋の哲学と政治思想を理解し、日本に根づかせようと苦闘した思想家である。徳川時代から明治時代に至る、思想の連続と変化を理解するために重要な研究書。

小坂国継『明治哲学の研究──西周と大西祝』(岩波書店、二〇一三年)……本章では現在のアカデミズムにおける哲学研究に近い仕事をした明治の思想家たちには、ほとんどふれなかった。その方面について知るのに適した一冊。

松田宏一郎『擬制の論理　自由の不安──近代日本政治思想論』(慶應義塾大学出版会、二〇一六年)……西洋思想が独自に発達させた、フィクションという思考の技術をいかに身に着けるか。これが世界のほかの地域の知識人が、一九世紀以降にとりくんできた課題である。「自由」や「平等」や「国家」「社会」の概念をめぐる日本の思想家たちの営みが、この本から浮かびあがってくる。

苅部直『「維新革命」への道──「文明」を求めた十九世紀日本』(新潮選書、二〇一七年)……本章の背景にある見解を知っていただくために挙げた。「和魂洋才」や「富国強兵」といった、明治政府がスローガンとして掲げていない言葉で、日本の近代を総括してしまう弊風は、本章とこの本を読んだなら、もう踏襲できなくなるはず。

あとがき

本巻では主に一九世紀の世界の哲学を扱ったが、この世紀は私たち日本人の「哲学」にとって、特別の意味をもっている。いうまでもなく、一七世紀前半から二〇〇年ほど続いた鎖国状態が、黒船の「襲来」によって破られ、開国を余儀なくされるなかで、人々は西洋の風習・学術・技術など、文明上のあらゆる異質な要素との接触を経験させられたからである。江戸末期から明治初期にかけて導入された、西洋伝来の「知への愛、すなわち哲学」という学問の発想は、当時の人々の目には、一面では新鮮なものに映ったかもしれないが、同時に、あまりにも理解しにくい、複雑な概念的作業であると見えたかもしれない。

ところで、明治維新における西洋哲学の伝統の流入を考えると、この種の外から強いられた形で生まれた異文化の吸収と、今日地球上で生じている哲学の世界化の運動とはどう関係しているのか、という別の疑問も浮かんでくる。

私たちが現在経験している哲学のグローバル化は、一方では高度に発達した通信や交通の技術に支えられている。しかしそれはまた、現在われわれが置かれている環境や、生命、信仰、言語など、人類にとって価値あるものの存続が根本的な危機にさらされているという、痛切な有限性の意識にも裏打ちされている。開国を余儀なくされた一九世紀の日本人の危機感と、生命や文化の存続の危機のもとで、知的な連帯や交流を求めざるをえない現代の意識の間には、時代と地理的ひろがりにおいてきわめて異種的な性格があるものの、重なる側面もあるはずである。

いずれにしても、哲学のグローバル化というのは、単なる多様な文化や信念体系の流動的混交という以上に、これまでのある種の閉鎖性をもった知のシステムでは、どうしても乗り越えられない問題状況という、限界の意識を伴っているはずである。そして、この限界の意識を突破するためには、従来の世界の見方からの大掛かりな離脱を必要としていることであろう。明治維新という我が国の経験は、それまでの武士社会の内なる上下のヒエラルキーを転倒するという運動が、武士階級そのものの廃絶を導いたという、逆説的なモーメントを含んでいた。今日の哲学における世界化の運動もまた、同様の逆説性を示すにちがいない。

前巻のあとがきでも述べたように、このシリーズの刊行へ向けた編集作業は、世界規模での未曾有のウイルス感染という危機的事態に巻き込まれつつ、多くの人々の献身的な努力のもとで何とか維持されている。その努力の中心にあって、無数の錯綜する要求にこたえるべく日々奮闘されている、筑摩書房の松田健氏に、この巻でも再び感謝の言葉を申し述べたい。

二〇二〇年五月

第7巻編者　伊藤邦武

編・執筆者紹介

伊藤邦武（いとう・くにたけ）【編者／はじめに・第1章・あとがき】
一九四九年生まれ。京都大学名誉教授。京都大学大学院文学研究科博士課程単位取得退学。スタンフォード大学大学院哲学科修士課程修了。専門は分析哲学・アメリカ哲学。著書『プラグマティズム入門』（ちくま新書）、『宇宙はなぜ哲学の問題になるのか』（ちくまプリマー新書）、『パースのプラグマティズム』（勁草書房）、『ジェイムズの多元的宇宙論』（岩波書店）、『物語　哲学の歴史』（中公新書）など多数。

山内志朗（やまうち・しろう）【編者】
一九五七年生まれ。慶應義塾大学文学部教授。東京大学大学院人文科学研究科博士課程単位取得退学。専門は西洋中世哲学、倫理学。著書『普遍論争』（平凡社ライブラリー）、『天使の記号学』（岩波書店）、『「誤読」の哲学』（青土社）、『小さな倫理学入門』『感じるスコラ哲学』（以上、慶應義塾大学出版会）、『湯殿山の哲学』（ぷねうま舎）など。

中島隆博（なかじま・たかひろ）【編者】
一九六四年生まれ。東京大学東洋文化研究所教授。東京大学大学院人文科学研究科博士課程中途退学。専門は中国哲学、比較思想史。著書『悪の哲学――中国哲学の想像力』（筑摩選書）、『『荘子』――鶏となって時を告げよ』（岩波書店）、『思想としての言語』（岩波現代全書）、『残響の中国哲学――言語と政治』『共生のプラクシス――国家と宗教』（以上、東京大学出版会）など。

納富信留（のうとみ・のぶる）【編者】
一九六五年生まれ。東京大学大学院人文社会系研究科教授。東京大学大学院人文科学研究科修士課程修了。ケンブリッジ大学大学院古典学部博士号取得。専門は西洋古代哲学。著書『ソフィストとは誰か？』『哲学の誕生――ソクラテスとは何者か』（以上、ちくま学芸文庫）、『プラトンとの哲学――対話篇をよむ』（岩波新書）など。

＊

中川明才（なかがわ・あきとし）【第2章】
一九七一年生まれ。同志社大学文学部教授。同志社大学大学院文学研究科博士課程後期退学。専門はドイツ古典哲学。著書『フィヒテ知識学の根本構造』（晃洋書房）、『フィヒテ知識学の全容』（共著、晃洋書房）。訳書『フィヒテを読む』（晃洋書房）など。

竹内綱史（たけうち・つなふみ）【第3章】
一九七七年生まれ。龍谷大学経営学部准教授。京都大学大学院文学研究科博士課程単位取得退学。博士（文学）。専門は宗教哲学。論文「ニーチェにおけるニヒリズムと身体」（『宗教哲学研究』第三三号）、「超越者なき自己超越――ニーチェにおける超越と倫理」（『倫理学研究』第四九号）、「ニーチェの同情＝共苦批判について」（『龍谷哲学論集』第三四号）など。

佐々木隆治（ささき・りゅうじ）【第4章】
一九七四年生まれ。立教大学経済学部准教授。一橋大学大学院社会学研究科博士課程修了。博士（社会学）。専門は経済理論、社会思想。著書『増補改訂版 マルクスの物象化論』（社会評論社）、『カール・マルクス』（ちくま新書）、『マルクス 資本論（シリーズ世界の思想）』（角川選書）、『マルクスとエコロジー』（共編著、堀之内出版）など。

神崎宣次（かんざき・のぶつぐ）【第5章】
一九七二年生まれ。南山大学国際教養学部教授。京都大学大学院文学研究科博士後期課程研究指導認定退学。博士（文学）を京都大学より取得。専門は倫理学。著書『ロボットからの倫理学入門』（共著、名古屋大学出版会）、『宇宙倫理学』（共編著、昭和堂）など。

原田雅樹（はらだ・まさき）【第6章】
一九六七年生まれ。関西学院大学文学部教授。パリ第七（ディドロ）大学大学院科学史・科学哲学専攻博士課程修了。博士（科学史・科学哲学）。専門はフランス哲学、物理学の哲学。著書 *La physique au carrefour de l'intuitif et du symbolique*（Vrin）、『エピステモロジー』（共著、慶應義塾大学出版会）、『主体の論理・概念の論理』（共著、以文社）。

小川仁志（おがわ・ひとし）【第7章】
一九七〇年生まれ。山口大学国際総合科学部教授。名古屋市立大学大学院博士後期課程修了。博士（人間文化）。専門は公共哲学。著書『公共性主義とは何か』（教育評論社）、『はじめての政治哲学』『アメリカを動かす思想』（以上、講談社現代新書）、『脱永続敗戦論』（朝日新聞出版）、『5日で学べて一生使える！　プレゼンの教科書』（ちくまプリマー新書）など多数。

三宅岳史（みやけ・たけし）【第8章】
一九七二年生まれ。香川大学教育学部准教授。京都大学大学院文学研究科博士後期課程研究指導認定退学。博士（文学）。専門はフランス近現代哲学。著書『ベルクソン哲学と科学の対話』（京都大学学術出版会）、『〈現在〉という謎』（共著、勁草書房）、『ベルクソン『物質と記憶』を解剖する』（共著、書肆心水）など。

冨澤かな（とみざわ・かな）【第9章】
一九七一年生まれ。静岡県立大学国際関係学部准教授。東京大学大学院人文社会系研究科博士課程修了。博士（文学）。専門は宗教学。論文「アジアと分類——共通の課題、共通の希望」（U-PARL編『図書館がつなぐアジアの知——分類法から考える』東京大学出版会）、「三つの国の「セキュラリズム」——南アジアからこの語の意義を考える」（池澤優編『いま宗教に向きあう4　政治化する宗教、宗教化する政治』岩波書店）など。

苅部 直（かるべ・ただし）【第10章】
一九六五年生まれ。東京大学法学部教授。東京大学大学院法学政治学研究科博士課程修了。博士（法学）。専門は日本政治思想史。著書『光の領国　和辻哲郎』（岩波現代文庫）、『丸山眞男』（岩波新書）、『秩序の夢』（筑摩書房）、『「維新革命」への道』（新潮選書）、『日本思想史の名著30』（ちくま新書）、『日本思想史への道案内』（NTT出版）など。

大河内泰樹（おおこうち・たいじゅ）【コラム1】
一九七三年生まれ。京都大学大学院文学研究科教授。一橋大学大学院社会学研究科博士課程単位取得退学。ボーフム・ルール大学博士（哲学）。専門は近現代ドイツ哲学。著書 *Ontologie und Reflexionsbestimmungen. Zur Genealogie der Wesenslogik Hegels* (Königshausen und Neumann)、『政治において正しいとはどういうことか：ポスト基礎付け主義と規範の行方』（共著、勁草書房）など。

山脇雅夫（やまわき・まさお）【コラム2】
一九六五年生まれ。高野山大学文学部教授。京都大学大学院文学研究科博士課程修了。京都大学博士（文学）。専門はドイツ古典哲学。論文「判断と推理――ヘーゲルの媒辞の存在論」（『情況』第四期第五巻第三号）、「「概念」の実現としての吟味――『精神の現象学』「緒論」における知の構造」（『高野山大学論叢』五四巻）など。

横山輝雄（よこやま・てるお）【コラム3】
一九五二年生まれ。南山大学名誉教授。東京大学大学院理学系研究科修士課程修了、博士課程単位取得。専門は科学哲学・科学思想史。著書『ダーウィンと進化論の哲学』（編著、勁草書房）、訳書『チャールズ・ダーウィン』『ラマルクと進化論』（以上、朝日新聞社）など。

谷　寿美（たに・すみ）【コラム4】
一九五三年生まれ。慶應義塾大学名誉教授。慶應義塾大学大学院博士課程修了、博士（文学）。専門は宗教哲学、ロシア思想。著書『ソロヴィヨフの哲学――ロシアの精神風土をめぐって』（理想社）、『ソロヴィヨフ――生の変容を求めて』（慶應義塾大学出版会）など。

ちくま新書

1460
世界哲学史1 ——古代Ⅰ 知恵から愛知へ
［責任編集］伊藤邦武／山内志朗 中島隆博／納富信留
人類は文明の始まりに世界と魂をどう考えたのか。古代オリエント、旧約聖書世界、ギリシアから、中国、インドまで、世界哲学が立ち現れた場に多角的に迫る。

1461
世界哲学史2 ——古代Ⅱ 世界哲学の成立と展開
［責任編集］伊藤邦武／山内志朗 中島隆博／納富信留
キリスト教、仏教、儒教、ゾロアスター教、マニ教などの宗教的思考について哲学史の観点から領域横断的に検討。「善悪と超越」をテーマに、宗教的思索の起源に迫る。

1462
世界哲学史3 ——中世Ⅰ 超越と普遍に向けて
［責任編集］伊藤邦武／山内志朗 中島隆博／納富信留
七世紀から一二世紀まで、ヨーロッパ、ビザンツ、イスラーム世界、中国やインド、そして日本の多様な形而上学の発展を、相互の豊かな関わりのなかで論じていく。

1463
世界哲学史4 ——中世Ⅱ 個人の覚醒
［責任編集］伊藤邦武／山内志朗 中島隆博／納富信留
モンゴル帝国がユーラシアを征服し世界が一体化へと向かう中、世界哲学はいかに展開したか。天や神など超越者に還元されない「個人の覚醒」に注目し考察する。

1464
世界哲学史5 ——中世Ⅲ バロックの哲学
［責任編集］伊藤邦武／山内志朗 中島隆博／納富信留
近代西洋思想は、いかにイスラームの影響を受けたスコラ哲学によって準備され、世界へと伝播したか。中国・朝鮮・日本までを視野に入れて多面的に論じていく。

1465
世界哲学史6 ——近代Ⅰ 啓蒙と人間感情論
［責任編集］伊藤邦武／山内志朗 中島隆博／納富信留
啓蒙運動が人間性の復活という目標をもっていたことを、東西の思想の具体例とその交流の歴史から浮き彫りにしつつ、一八世紀の東西の感情論へのまなざしを探る。

1165
プラグマティズム入門
伊藤邦武
これからの世界を動かす思想として、いま最も注目されるプラグマティズム。アメリカにおけるその誕生から最新の研究動向まで、全貌を明らかにする入門書決定版。

ちくま新書
1466

世界哲学史7
――近代II 自由と歴史的発展

二〇二〇年七月一〇日 第一刷発行

編者 伊藤邦武(いとう・くにたけ)
山内志朗(やまうち・しろう)
中島隆博(なかじま・たかひろ)
納富信留(のうとみ・のぶる)

発行者 喜入冬子

発行所 株式会社 筑摩書房
東京都台東区蔵前二―五―三 郵便番号一一一―八七五五
電話番号〇三―五六八七―二六〇一(代表)

装幀者 間村俊一

印刷・製本 株式会社 精興社

ISBN978-4-480-07297-9 C0210

人名索引

あ行

か行

さ行

た行

な行

は行

ま行

や行

ら行

わ行

年表

	ヨーロッパ・アメリカ合衆国	北アフリカ・アジア(東アジア以外)
1700	1700　ベルリン諸学協会（後のベルリン科学アカデミー）設立 1701　プロイセン王国成立 1706　ベンジャミン・フランクリン、生まれる〔-1790〕 1707　大ブリテン王国成立	1700　シーア派の大伝承学者モハンマド・バーゲル・マジュレスィー、没 1703　インドのイスラーム改革者シャー・ワリーゥッラー・デフラヴィー、生まれる〔-1762〕。サラフィー主義者ムハンマド・イブン・アブドゥルワッハーブ、生まれる〔-1792〕
1710	1711　ヒューム、生まれる〔-1776〕 1712　ルソー、生まれる〔-1778〕 1713　ディドロ、生まれる〔-1784〕 1714　イギリス、ハノーヴァー朝成立〔-1901〕 1717　ダランベール、生まれる〔-1783〕	1715　シーア派哲学者ムッラー・ムハンマド・ナラーギー、生まれる〔-1795〕
1720	1723　アダム・スミス、生まれる〔-1790〕 1724　カント、生まれる〔-1804〕 1729　バーク、生まれる〔-1797〕	1722　シーア派哲学者ミールザー・モハンマド・サーデグ・アルデスターニー、没

太字は哲学関連事項

中国・朝鮮	日本	
	1707　富士山大噴火 **1709　荻生徂徠、蘐園塾を設立**	1700
1716『康熙字典』成立 **1719　荘存与、生まれる〔-1788〕**	**1715頃　新井白石『西洋紀聞』完成** 1716　享保の改革はじまる	1710
1720　王鳴盛、生まれる〔-1797〕 1723　雍正帝即位〔-1735〕。**雍正帝、キリスト教布教を禁止** **1724　戴震、生まれる〔-1777〕。紀昀、生まれる〔-1805〕** **1727　趙翼、生まれる〔-1812〕** **1728　銭大昕、生まれる〔-1804〕** **1729　雍正帝が『大義覚迷録』を頒布**	**1723　三浦梅園、生まれる〔-1789〕** **1724　懐徳堂設立**	1720

	ヨーロッパ・アメリカ合衆国	北アフリカ・アジア(東アジア以外)
1730	1736　ラグランジュ、生まれる〔-1813〕 1739　ヒューム『人間本性論』刊行〔-1740〕	1731　シリアの神秘思想家アブドゥル・ガーニー・ナーブルスィー、没
1740	1740　オーストリア継承戦争〔-1748〕 1743　コンドルセ、生まれる〔-1794〕。ジェファーソン、生まれる〔-1826〕 1748　モンテスキュー『法の精神』刊行。ベンサム、生まれる〔-1832〕 1749　ラジーシェフ、生まれる〔-1802〕	
1750	1755　ルソー『人間不平等起源論』刊行 1756　七年戦争〔-1763〕 1758　ロベスピエール、生まれる〔-1794〕 1759　スミス『道徳感情論』刊行	1753　シャイヒー派の創始者シャイフ・アフマド・アフサーイー、生まれる〔-1826〕 1756　シーア派神秘思想家ヌール・アリー・シャー、生まれる〔-1798〕 1757　プラッシーの戦い。論理学者イスマーイール・ハージューイー、没
1760	1760　サン＝シモン、生まれる〔-1825〕 1762　フィヒテ、生まれる〔-1814〕。ルソー『社会契約論』『エミール』刊行 1763　パリ条約締結(英仏西間) 1766　メーヌ・ド・ビラン、生まれる〔-1824〕。マルサス、生まれる〔-1834〕 1769　ワット、蒸気機関を改良	1760　照明哲学者クトゥブッディーン・モハンマド・ネイリーズィー・シーラーズィー、没 1763　オスマン朝の大宰相で蔵書家ラギブ・パシャ、没 1765　イギリス東インド会社がベンガル、ビハール、オリッサの事実上の統治権を獲得

中国・朝鮮	日本	
1735　段玉裁、生まれる〔-1815〕。乾隆帝即位〔-在位1795〕 1738　章学誠、生まれる〔-1801〕	1730　本居宣長、生まれる〔-1801〕。中井竹山、生まれる〔-1804〕	1730
1744　王念孫、生まれる〔-1832〕	1742　公事方御定書成る 1748　山片蟠桃、生まれる〔-1821〕	1740
	1755　海保青陵、生まれる〔-1817〕	1750
1763　焦循、生まれる〔-1820〕 1764　阮元、生まれる〔-1849〕 1766　王引之、生まれる〔-1834〕	1767　曲亭馬琴、生まれる〔-1848〕	1760

	ヨーロッパ・アメリカ合衆国	北アフリカ・アジア(東アジア以外)
1770	1770　ヘーゲル、生まれる〔-1831〕。ラグランジュ『方程式の代数的解についての反省』刊行 1772　ノヴァーリス、生まれる〔-1801〕。リカード、生まれる〔-1823〕 1775　シェリング、生まれる〔-1854〕 1776　アメリカ独立宣言の発表。トマス・ペイン『コモン・センス』刊行。アダム・スミス『国富論』刊行 1777　ガウス、生まれる〔-1855〕	1772/04　ラームモーハン・ローイ、生まれる〔-1833〕
1780	1781　カント『純粋理性批判』刊行 1783　パリ条約締結、アメリカ合衆国の独立承認 1788　カント『実践理性批判』刊行。ショーペンハウアー、生まれる〔-1860〕 1789　フランス、「人権宣言」採択。アメリカ連邦政府発足。ベンサム『道徳および立法の諸原理序説』刊行	1783　スンナ派法学者で神学者のイブラーヒーム・バジューリー、生まれる〔-1860〕 1784　シーア派化学者アーガー・モハンマド・ビーダーバーディー、没。カルカッタにアジアティック・ソサイエティ設立
1790	1792　クザン、生まれる〔-1867〕。フランス、第一共和政〔-1804〕 1798　コント、生まれる〔-1857〕。マルサス『人口論』刊行。シュレーゲル兄弟『アテネーウム』創刊	1792　シーア派思想家ハーディー・サブザヴァーリー、生まれる〔-1873〕 1798　シャイヒー派の神秘思想家サイイド・カーズィム・ラシュティー、生まれる〔-1843〕。ナポレオン、エジプト遠征〔-1799〕

中国・朝鮮	日本	
1776　戴震『孟子字義疏証』成立。劉逢禄、生まれる〔-1829〕	1776　平田篤胤、生まれる〔-1843〕	1770
1782　『四庫全書』完成	1780　頼山陽、生まれる〔-1832〕 1782　会沢正志斎、生まれる〔-1863〕。天明の大飢饉〔-1787〕 1783　浅間山大噴火 1787　寛政の改革はじまる〔-1793〕	1780
1792　マカートニー、中国に到着。龔自珍、生まれる〔-1841〕 1794　魏源、生まれる〔-1857〕 1796　白蓮教徒の乱〔-1804〕	1790　昌平坂学問所設立 1798　本居宣長『古事記伝』完成	1790

	ヨーロッパ・アメリカ合衆国	北アフリカ・アジア(東アジア以外)
1800	1802　アーベル、生まれる〔-1829〕 1804　フォイエルバッハ、生まれる〔-1872〕。フランス、ナポレオンが皇帝になり第一帝政に〔-1814〕。仏領サン＝ドマング、独立してハイチとなる 1805　トラファルガーの海戦。アウステルリッツの戦い。トクヴィル、生まれる〔-1859〕 1806　J・S・ミル、生まれる〔-1873〕 1807　ヘーゲル『精神現象学』刊行。アメリカで奴隷貿易の禁止 1809　プルードン、生まれる〔-1865〕。ダーウィン、生まれる〔-1882〕。リンカン、生まれる〔-1865〕	1801　リファーア・タフターウィー、生まれる〔-1873〕
1810	1811　ガロア、生まれる〔-1832〕 1812　アメリカ＝イギリス(米英)戦争 1813　ラヴェッソン、生まれる〔-1900〕 1814　フランス、ブルボン朝成立〔-1830〕。バクーニン、生まれる〔-1876〕 1815　ワイエルシュトラス、生まれる〔-1897〕 1818　マルクス、生まれる〔-1883〕 1818/19　ショーペンハウアー『意志と表象としての世界』刊行	1817　デーヴェーンドラナート・タゴール、生まれる〔-1905〕 1819　ブトルス・ブスターニー、生まれる〔-1883〕

中国・朝鮮	日本	
1808　段玉裁『説文解字注』完成	1806　藤田東湖、生まれる〔-1855〕 1808　間宮林蔵、樺太探険 1809　横井小楠、生まれる〔-1869〕	1800
1810　陳澧、生まれる〔-1882〕 1816　アマースト、中国に到着 1818　江藩『漢学師承記』刊行	1811　佐久間象山、生まれる〔-1864〕	1810

	ヨーロッパ・アメリカ合衆国	北アフリカ・アジア(東アジア以外)
1820	1820　エンゲルス、生まれる〔-1895〕。スペンサー、生まれる〔-1903〕 1821　ドストエフスキー、生まれる〔-1881〕 1826　リーマン、生まれる〔-1866〕	1824　ダヤーナンダ・サラスヴァティー、生まれる〔-1883〕 1828　ブラーフマ・サマージ、ブラーフマ・サバーの名で設立
1830	1830　フランス、オルレアン朝成立〔-1848〕 1831　デデキント、生まれる〔-1916〕 1839　パース、生まれる〔-1914〕	1834/36　ラーマクリシュナ、生まれる〔-1886〕 1838　ケーシャブ・チャンドラ・セーン、生まれる〔-1884〕 1838/39　ジャマールッディーン・アフガーニー、生まれる〔-1897〕
1840	1842　ウィリアム・ジェイムズ、生まれる〔-1910〕。ソフス・リー、生まれる〔-1899〕 1844　ニーチェ、生まれる〔-1900〕 1845　ブートルー、生まれる〔-1921〕。カントール、生まれる〔-1918〕 1846　アメリカ＝メキシコ戦争〔-1848〕 1848　フレーゲ、生まれる〔-1925〕。マルクス・エンゲルス『共産党宣言』刊行。1848年革命。フランス、第二共和政〔-1852〕 1849　クライン、生まれる〔-1925〕	1840　プラタープ・チャンドラ・マジュームダール、生まれる〔-1905〕 1849　ムハンマド・アブドゥ、生まれる〔-1905〕

中国・朝鮮	日本	
1821　兪樾、生まれる〔-1907〕 1829　『皇清経解』刊行	1825　異国船打払令 1829　西周、生まれる〔-1897〕	1820
1832　章学誠『文史通義』刊行 1837　張之洞、生まれる〔-1909〕	1833　天保の大飢饉〔-1839〕 1835　福澤諭吉、生まれる〔-1901〕 1837　大塩平八郎の乱	1830
1840　アヘン戦争〔-1842〕 1842　王先謙、生まれる〔-1917〕 1848　孫詒譲、生まれる〔-1908〕	1841　天保の改革〔-1843〕 1847　中江兆民、生まれる〔-1901〕	1840

	ヨーロッパ・アメリカ合衆国	北アフリカ・アジア(東アジア以外)
1850	1852　フランス、第二帝政〔-1870〕 1853　ソロヴィヨフ、生まれる〔-1900〕 1854　ポアンカレ、生まれる〔-1912〕 1856　フロイト、生まれる〔-1939〕 1857　ソシュール、生まれる〔-1913〕 1859　フッサール、生まれる〔-1938〕。ベルクソン、生まれる〔-1941〕。デューイ、生まれる〔-1952〕。ダーウィン『種の起源』刊行	1855　アブドゥルラフマーン・カワーキビー、生まれる〔-1902〕 1856　アディーブ・イスハーク、生まれる〔-1884〕 1857　インド大反乱発生 1858　ムガル帝国滅亡、イギリスのインド直接統治はじまる
1860	1861　ミル『功利主義』刊行 1862　ヒルベルト、生まれる〔-1943〕 1863　アメリカ、奴隷解放宣言 1864　マックス・ヴェーバー、生まれる〔-1920〕 1867　マルクス『資本論』第一巻刊行	1861　ジョルジ・ザイダーン、生まれる〔-1914〕。ラビーンドラナート・タゴール、生まれる〔-1941〕 1863　カーシム・アミーン、生まれる〔-1908〕。ヴィヴェーカーナンダ、生まれる〔-1902〕 1865　ラシード・リダー、生まれる〔-1935〕 1869　ガーンディー、生まれる〔-1948〕
1870	1870　フランス、第三共和政〔-1940〕。レーニン、生まれる〔-1924〕 1872　ラッセル、生まれる〔-1970〕 1879　アインシュタイン、生まれる〔-1955〕	1872　オーロビンド・ゴーシュ、生まれる〔-1950〕 1877　インド帝国成立〔-1947〕

中国・朝鮮	日本	
1851　太平天国の乱〔-1864〕 **1854　厳復、生まれる〔-1921〕** 1856　アロー戦争〔-1860〕 **1858　康有為、生まれる〔-1927〕**	1853　ペリー、浦賀に来航 1854　日米和親条約 1858　日米修好通商条約	1850
1865　譚嗣同、生まれる〔-1898〕 **1866　孫文、生まれる〔-1925〕** **1868　章炳麟、生まれる〔-1936〕**	**1863　徳富蘇峰、生まれる〔-1957〕** **1867　夏目漱石、生まれる〔-1916〕**。大政奉還。王政復古の大号令	1860
1873　梁啓超、生まれる〔-1929〕 **1877　王国維、生まれる〔-1927〕** **1879　陳独秀、生まれる〔-1942〕**	**1870　西田幾多郎、生まれる〔-1945〕** **1874　『明六雑誌』創刊** **1875　福澤諭吉『文明論之概略』刊行**	1870

	ヨーロッパ・アメリカ合衆国	北アフリカ・アジア(東アジア以外)
1880	1883　ヤスパース、生まれる〔-1969〕 1889　ウィトゲンシュタイン、生まれる〔-1951〕。ハイデガー、生まれる〔-1976〕	1885　インド国民会議発足 1888　アリー・アブドゥルラージク、生まれる〔-1966〕 1889　タハ・フセイン、生まれる〔-1973〕
1890	1898　アメリカ＝スペイン戦争 1899　ハイエク、生まれる〔-1992〕	1897　ラーマクリシュナ・ミッション設立
1900	1903　アドルノ、生まれる〔-1969〕 1906　アーレント、生まれる〔-1975〕。レヴィナス、生まれる〔-1995〕 1908　メルロ＝ポンティ、生まれる〔-1961〕。レヴィ＝ストロース、生まれる〔-2009〕	1905　ベンガル分割令、スワラージ・スワデーシー運動の始まり 1906　ハサン・バンナー、生まれる〔-1949〕。サイイド・クトゥブ、生まれる〔-1966〕

中国・朝鮮	日本	
1881　魯迅、生まれる〔-1936〕 1885　熊十力、生まれる〔-1968〕 1889　李大釗、生まれる〔-1927〕	1883　阿部次郎、生まれる〔-1959〕 1889　大日本帝国憲法発布。和辻哲郎、生まれる〔-1960〕	1880
1891　胡適、生まれる〔-1962〕。康有為『新学偽経考』刊行 1893　毛沢東、生まれる〔-1976〕。梁漱溟、生まれる〔-1988〕 1894　甲午農民戦争。日清戦争〔-1895〕 1895　馮友蘭、生まれる〔-1990〕 1897　康有為『孔子改制考』刊行 1898　戊戌の政変。京師大学堂設立。厳復『天演論』刊行	1890　教育勅語発布 1894　日清戦争〔-1895〕。台湾の植民地化	1890
1900　義和団事件 1901　北京議定書 1905　科挙の廃止	1902　日英同盟 1904　日露戦争〔-1905〕	1900